施耐庵

水滸傳

卷

第八一回至第一〇〇回

編者序

《水滸傳》和《三國演義》一樣，也是由民間說話藝人和文人作家共同創作的作品，描寫北宋徽宗宣和年間（西元一一一九～一一二五）以宋江為首的一百零八條好漢，從反貪官汙吏到被招安抗敵的過程。如果《三國演義》七實三虛，那麼《水滸傳》就是三實七虛了。

歷史上關於宋江起義的記載雖然簡略，但聲勢極盛。南宋時期，水滸故事開始在民間廣泛流傳，不同時期和不同階層的人為它加油添醋，於是內容和人物也就越來越複雜了。

宋元之間的《大宋宣和遺事》，其中有一段三四千字的梁山泊故事，楊志賣刀、智取生辰綱、宋江殺惜、招安方臘等情節已經出現，也是《水滸傳》最後成書的重要基礎。元代雜劇中，有不少水滸題材的劇目，大多以人物為中心，又以李逵的為最多。

關於《水滸傳》的寫定者是誰，歷來有不同的看法，一是認為施耐庵所作，二是認為羅貫中所作，三是認為施作羅編，四是認為施作羅續；學界一般認為離成書時間較近的高儒《百川雜志》的說法較可靠，定為元末明初的施耐庵作，或施耐庵作又經過羅貫中加工。

《水滸傳》版本也比較複雜，一般分為繁本和簡本。簡本因文學價值不高，多用於研究；繁本中最精簡的是明末金聖嘆的七十回本，另有百回本和百二十本。《人人文庫》採繁本中的一百二十回本，也就是《水滸全傳》本。

《水滸傳》中第一次出現大規模行動，是晁蓋和吳用等人發動的「智取生辰綱」。「生辰綱」是北京大名府留守良中書送給當朝太師、他的岳父蔡京的壽禮，價值十萬貫的金銀珠寶，都是他靠巧取豪奪的手段從老百姓那兒搜括來的；所以「不義之財，取之何礙」，有別於一般盜匪的打家劫舍，而顯示出這些好漢們行動的正當性。

《水滸傳》裡的惡人代表是禁軍統帥高俅，官逼民反的結果，造就了這批梁山英雄。起義隊伍由小到大，從無到有，由盲目行動到有嚴明紀律；被朝廷招安後，征大遼，除田虎、王慶，在平靖方臘時遭到重大挫敗，一百零八條好漢僅餘二十七人。

故事到了最後，宋江、盧俊義被酖，李逵、吳用、花榮追隨赴死，令讀者掩卷嘆息，心中好不慘然。

《水滸傳》的英雄人物，如宋江、李逵、魯智深、武松、林沖、三阮等，性格鮮明，令人印象深刻。宋江出場雖晚（第二十回），卻是本書的靈魂人物。他本山東鄆城刀筆小吏，面目黝黑，身材矮小，但他與生俱來的領導能力，使得他個人的思想性格引導了梁山泊義軍的走向。鹵莽粗豪的李逵，是反對招安最激烈的一個，因佩服宋江哥哥的義氣，依然跟隨到底。

魯智深出身行伍，「殺人須見血，救人須救徹」是他的基本信念，但他粗中有細，和李逵又不一樣。武松身軀凜凜，相貌堂堂，根本就是力與勇的化身；血濺鴛鴦樓，手刃張都監全家十幾口，既殘酷卻又讓人感到痛快淋漓。

人人出版公司《人人文庫》系列的四大小說——《紅樓夢》、《三國演義》、《水滸傳》、《西遊記》——於二〇一七年首度合體登場，盼提供讀者最豐富的閱讀饗宴。

《人人文庫》系列秉持好看、好讀的「輕」小說原則，方便您一卷在手，隨身攜帶。不但選用輕韌的日本紙，注解和編排更是簡明易懂，賞心悅目。祈願讀者們盡情優游書海，享受閱讀的樂趣。

【目次】卷5

第八一回至第一〇〇回

第八一回

燕青月夜遇道君
戴宗定計出樂和

話說梁山泊好漢，水戰三敗高俅，盡被擒捉上山。宋公明不肯殺害，盡數放還。高太尉許多人馬回京，就帶蕭讓、樂和前往京師，聽候招安一事，卻留下參謀聞煥章在梁山泊裡。

那高俅在梁山泊時，親口說道：「我回到朝廷，親引蕭讓等，面見天子，便當力奏保舉，火速差人前來招安。」因此上就叫樂和為伴，與蕭讓一同去了，不在話下。

且說梁山泊眾頭目商議，宋江道：「我看高俅此去，未知真實。」吳用笑道：「我觀此人，生得蜂目蛇形，是個轉面忘恩之人。他折了許多軍馬，廢了朝廷許多錢糧，回到京師，必然推病不出，朦朧奏過天子，權將軍士歇息，蕭讓、樂和軟監在府裡。若要等招安，空勞神力！」

宋江道：「似此怎生奈何？招安猶可，又且陷了二人。」

吳用道：「哥哥再選兩個乖覺的人，多將金寶前去京師，探聽消息。就行鑽刺關節，斡運◈衷情，達知今上，令高太尉藏匿不得，此為上計。」

燕青便起身說道：「舊年鬧了東京，是小弟去李師師家入肩◈，不想這一場大鬧，她家已自猜了八分。只有一件，她卻是天子心愛的人，官家哪裡疑她。她自必然奏說：『梁山泊知得陛下在此私行，故來驚嚇。』已是遮過了。』如今小弟多把些金珠去那裡入肩，枕頭上關節最快。小弟可長可短，見機而作。」

宋江道：「賢弟此去，須擔干係。」戴宗便道：「小弟幫他去走一遭。」

◈斡運—訴說。　入肩—為謀劃某件事而置身其間。

神機軍師朱武道：「兄長昔日打華州時，嘗與宿太尉有恩。此人是個好心的人。若得本官於天子前早晚題奏，亦是順事。」

宋江想起九天玄女之言，「遇宿重重喜」，莫非正應著此人身上。便請聞參謀來堂上同坐。

宋江道：「相公曾認得太尉宿元景麼？」

聞煥章道：「他是在下同窗朋友，如今和聖上寸步不離。此人極是仁慈寬厚，待人接物，一團和氣。」

宋江道：「實不瞞相公說：我等疑高太尉回京，必然不奏招安一節。宿太尉舊日在華州降香，曾與宋江有一面之識。今要使人去他那裡打個關節，求他添力，早晚於天子處題奏，共成此事。」

聞參謀答道：「將軍既然如此，在下當修尺書◆奉去。」

宋江大喜。隨即教取紙筆來，一面焚起好香，取出玄女課，望空祈禱，卜得個上上大吉之兆。隨即置酒，與戴宗、燕青送行。收拾金珠細軟之物兩大籠子，書信隨身藏了，仍帶了開封府印信公文。兩個扮做公人，辭了頭領下山，渡過金沙灘，望東京進發。戴宗托著雨傘，背著個包裹。燕青把水火棍挑著籠子，拽扎起皂衫，腰繫著纏袋，腳下都是腿絣護膝，八搭麻鞋。於路免不得飢餐渴飲，夜住曉行。不則一日，來到東京，不由順路入城，卻轉過萬壽門來。兩個到得城門邊，把門軍當住。

燕青放下籠子，打著鄉談說道：「你做甚麼擋我？」

軍漢道：「殿帥府有鈞旨，梁山泊諸色人等，恐有夾帶入城，因此著仰各門，但有外鄉客人出入，好生盤詰。」

燕青笑道：「你便是了事的公人，將著自家人，只管盤問。俺兩個從小在開封府勾當◆，這門下不知出入了幾萬遭，你顛倒只管盤問，梁山泊人，眼睜睜的都放他過去了。」

便向身邊取出假公文，劈面丟將去道：「你看，這是開封府公文不是？」

◆尺書——書信。 勾當——擔當、料理事務。

那監門官聽得，喝道：「既是開封府公文，只管問他怎地？放他入去！」燕青一把抓了公文，揣在懷裡，挑起籠子便走。戴宗也冷笑了一聲。兩個逕奔開封府前來，尋個客店安歇了。

次日，燕青換領布衫穿了，將搭膊繫了腰，換頂頭巾，歪戴著，只裝做小閒模樣。籠內取了一帕子金珠，吩咐戴宗道：「哥哥，小弟今日去李師師家幹事，倘有些決撒，哥哥自快回去。」吩咐戴宗了當，一直取路，逕奔李師師家來。到得門前看時，依舊曲檻雕欄，綠窗朱戶，比先時又修得好。燕青便揭起斑竹簾子，從側首邊轉將入來，早聞得異香馥郁。入到客位前，見周迴吊掛名賢書畫，階簷下放著三、二十盆怪石蒼松，坐榻盡是雕花香楠木，小床坐褥盡鋪錦繡。燕青微微地咳嗽一聲，丫鬟出來見了，便傳報李媽媽出來，看見是燕青，吃了一驚，便道：「你如何又來此間？」

燕青道：「請出娘子來，小人自有話說。」

李媽媽道：「你前番連累我家，壞了房子。你有話便說。」

燕青道：「須是娘子出來，方才說得。」李師師在窗子後聽了多時，轉將出來。燕青看時，別是一般風韻。但見：

容貌似海棠滋曉露，腰肢如楊柳嫋東風，

渾如閬苑◆瓊姬，絕勝桂宮仙姊。

當下李師師輕移蓮步，款蹙湘裙，走到客位裡面。燕青起身，把那帕子放在桌上，先拜了李媽媽四拜，後拜李行首兩拜。

李師師謙讓道：「免禮。俺年紀幼小，難以受拜。」

燕青拜罷，起身道：「前者驚恐，小人等安身無處。」

李師師道：「你休瞞我！你當初說道是張閒，那兩個是山東客人，臨期鬧

◆閬苑——仙人居住的地方。

了一場，不是我巧言奏過官家，別的人時，卻不滿門遭禍！他留下詞中兩句，道是：『六六雁行連八九，只等金雞消息。』我那時便自疑惑，正待要問，誰想駕到。後又鬧了這場，不曾問得。

「今喜你來，且釋我心中之疑。你不要隱瞞，實對我說知。若不明言，決無干休！」

燕青道：「小人實訴衷曲，花魁娘子休要吃驚！前番來的那個黑矮身材，為頭坐的，正是呼保義宋江；第二位坐的白俊面皮，三牙髭鬚，那個便是柴世宗嫡派子孫，小旋風柴進；這公人打扮，立在面前的，便是神行太保戴宗；門首和楊太尉廝打的，正是黑旋風李逵；小人是北京大名府人氏，人都喚小人做浪子燕青。

「當初俺哥哥來東京求見娘子，教小人詐作張閒，來宅上入肩。俺哥哥要見尊顏，非圖買笑迎歡，只是久聞娘子遭際今上，以此親自特來告訴衷曲，指望將替天行道、保國安民之心，上達天聽，早得招安，免致生靈受苦。若蒙如此，則娘子是梁山泊數萬人之恩主也！

「如今被奸臣當道，讒佞專權，閉塞賢路，下情不能上達。因此上來尋這條門路，不想驚嚇娘子。今俺哥哥無可拜送，只有些少微物在此，萬望笑留。」

燕青便打開帕子，攤在桌上，都是金珠寶貝器皿。那虔婆愛的是財，一見便喜，忙叫奶子收拾過了；便請燕青進裡面小閣兒內坐地，安排好細食茶果，殷勤相待。原來李師師家，皇帝不時間來，因此上公子王孫，富豪子弟，誰敢來她家討茶吃。

且說當時鋪下盤饌酒果，李師師親自相待。

燕青道：「小人是個該死的人，如何敢對花魁娘子坐地？」

李師師道：「休恁地說。你這一班義士，久聞大名，只是奈緣中間無有好人，與汝們眾位作成，因此上屈沉水泊。」

燕青道：「前番陳太尉來招安，詔書上並無撫恤的言語，更兼抵換了御酒。第二番領詔招安，正是詔上要緊字樣，故意讀破句讀：『除宋江，盧俊義等大小人眾，所犯過惡，並與赦免。』因此上，又不曾歸順。「童樞密引將軍來，只兩陣，殺得片甲不歸。次後高太尉役天下民夫，造船征進，只三陣，人馬折其大半。高太尉被俺哥哥活捉上山，不肯殺害，重重管待，送回京師，生擒人數，盡都放還。他在梁山泊說了大誓，如回到朝廷，奏過天子，便來招安；因此帶了梁山泊兩個人來，一個是秀才蕭讓，一個是能唱樂和，眼見得把這兩人藏在家裡，不肯令他出來。損兵折將，必然瞞著天子。」

李師師道：「他這等破耗錢糧，損折兵將，如何敢奏？這話我盡知了。且飲數杯，別作商議。」

燕青道：「小人天性不能飲酒。」

李師師道：「路遠風霜到此，開懷也飲幾杯。」燕青被央不過，一杯兩盞，只得陪侍。

原來這李師師是個風塵妓女，水性的人，見了燕青這表人物，能言快說，口舌利便，倒有心看上他。酒席之間，用些話來嘲惹◈他。數杯酒後，一言半語，便來撩撥。燕青是個百伶百俐的人，如何不省得？他卻是好漢胸襟，怕誤了哥哥大事，哪裡敢來承惹？

李師師道：「久聞得哥哥諸般樂藝，酒邊閒聽，願聞也好。」

燕青答道：「小人頗學得些本事，怎敢在娘子跟前賣弄？」

李師師道：「我便先吹一曲，教哥哥聽。」便喚丫鬟取簫來。錦袋內掣出那管鳳簫，李師師接來，口中輕輕吹動，端的是穿雲裂石之聲。燕青聽了，喝采不已。

李師師吹了一曲，遞過簫來，與燕青道：「哥哥也吹一曲，與我聽則個！」燕青卻要那婆娘歡喜，只得把出本事來，接過簫，便嗚嗚咽咽，也吹一曲。李師師聽了，不住聲喝采說道：「哥哥原來恁地吹得好簫！」

李師師取過阮◈來，撥個小小的曲兒，教燕青聽。果然是玉珮齊鳴，黃鶯

◈嘲惹—逗弄、勾引。 阮—樂器名。一種彈撥樂器。

對囀，餘韻悠揚。

燕青拜謝道：「小人也唱個曲兒，伏侍娘子。」頓開咽喉便唱，端的是聲清韻美，字正腔真，唱罷又拜。李師師執盞擎杯，親與燕青回酒謝唱。口兒裡悠悠放出些妖嬈聲嗽，來惹燕青。燕青緊緊的低了頭，唯喏而已。

數杯之後，李師師笑道：「聞知哥哥好身紋繡，願求一觀如何？」

燕青笑道：「小人賤體，雖有些花繡，怎敢在娘子跟前揎衣裸體？」

李師師說道：「錦體社家子弟，哪裡去問揎衣裸體！」三回五次，定要討看。

燕青只得脫膊下來，李師師看了，十分大喜。把尖尖玉手，便摸他身上。燕青慌忙穿了衣裳。李師師再與燕青把盞，又把言語來調他。燕青恐怕她動手動腳，難以迴避，心生一計，便動問道：「娘子今年貴庚多少？」

李師師答道：「師師今年二十有七。」

燕青說道：「小人今年二十有五，卻小兩年。娘子既然錯愛，願拜為姐姐！」燕青便起身，推金山，倒玉柱，拜了八拜。這八拜是拜住那婦人一點邪心，中間裡好幹大事。若是第二個在酒色之中的，也把大事壞了。因此上單顯燕青心如鐵石，端的是好男子。

當時燕青又請李媽媽來，也拜了，拜做乾娘。燕青辭回，李師師道：「小哥只在我家下，休去店東宿。」

燕青道：「既蒙錯愛，小人回店中，取了些東西便來。」

李師師道：「休教我這裡專望。」

燕青道：「店中離此間不遠，少刻便到。」燕青暫別了李師師，逕到客店中，把上件事和戴宗說了。

戴宗道：「如此最好！只恐兄弟心猿意馬，拴縛不定。」

燕青道：「大丈夫處世，若為酒色而忘其本，此與禽獸何異？燕青但有此心，死於萬劍之下！」

戴宗笑道：「你我都是好漢，何必說誓！」

燕青道：「如何不說誓，兄長必然生疑！」

戴宗道：「你當速去，善覷方便，早幹了事便回，休教我久等。宿太尉的書，也等你來下。」

燕青收拾一包零碎金珠細軟之物，再回李師師家，將一半送與李媽媽，一半散與全家大小，無一個不歡喜。便向客位側邊，收拾一間房，教燕青安歇。合家大小，都叫叔叔。

也是緣法湊巧，至夜，卻好有人來報，天子今晚到來。

燕青聽得，便去拜告李師師道：「姐姐做個方便，今夜教小弟得見聖顏，告得紙御筆赦書，赦了小弟罪犯，出自姐姐之德！」

李師師道：「今晚定教你見天子一面，你卻把些本事，動達天顏，赦書何愁沒有？」

看看天晚，月色朦朧，花香馥郁，蘭麝芬芳，只見道君皇帝，引著一個小黃門，扮做白衣秀士，從地道中逕到李師師家後門來。到得閣子裡坐下，便教前後關閉了門戶，明晃晃點起燈燭熒煌。李師師冠梳插帶，整肅衣裳，前來接駕。拜舞起居，寒溫已了，天子命去其整妝衣服，相待寡人。李師師承旨，去其服色，迎駕入房。家間已準備下諸般細果，異品餚饌，擺在面前。

李師師舉杯上勸天子，天子大喜，叫：「愛卿近前，一處坐地！」李師師見天子龍顏大喜，向前奏道：「賤人有個姑舅兄弟，從小流落外方，今日才歸，要見聖上，未敢擅便，乞取我王聖鑒。」天子道：「既然是妳兄弟，便宣將來見寡人，有何妨？」奶子遂喚燕青直到房內，面見天子。燕青納頭便拜。官家看了燕青一表人物，先自大喜。李師師叫燕青吹簫，伏侍聖上飲酒，少刻又撥一回阮，然後叫燕青唱曲。

燕青再拜奏道：「所記無非是淫詞豔曲，如何敢伏侍聖上！」官家道：「寡人私行妓館，其意正要聽豔曲消悶，卿當勿疑。」燕青借過象板，再拜罷，對李師師道：「音韻差錯，望姐姐見教。」燕青頓開喉咽，手拿象板，唱《漁家傲》一曲，道是：

一別家鄉音信杳，百種相思，腸斷何時了？

燕子不來花又老，一春瘦的腰兒小。

薄倖郎君何日到，想是當初，莫要相逢好。

好夢欲成還又覺，綠窗但覺鶯啼曉。

燕青唱罷，真乃是新鶯乍囀，清韻悠揚。天子甚喜，命教再唱。燕青拜倒在地，奏道：「臣有一支《減字木蘭花》，上達天聽。」

天子道：「好，寡人願聞！」燕青拜罷，遂唱《減字木蘭花》一曲，道是：

聽哀告，聽哀告！

賤軀流落誰知道，誰知道，極天罔地，罪惡難分顛倒。

有人提出火坑中，肝膽常存忠孝，常存忠孝，有朝須把大恩人報！

燕青唱罷，天子失驚，便問：「卿何故有此曲？」燕青大哭，拜在地下。

天子轉疑，便道：「卿且訴胸中之事，寡人與卿理會。」

燕青奏道：「臣有彌天之罪，不敢上奏！」

天子曰：「赦卿無罪，但奏不妨。」

燕青奏道：「臣自幼飄泊江湖，流落山東，跟隨客商，路經梁山泊過，致被劫擄上山，一住三年。今年方得脫身逃命，走回京師，雖然見得姐姐，則是不敢上街行走。倘或有人認得，通與做公的，此時如何分說？」

李師師便奏道：「我兄弟心中，只有此苦，望陛下做主則個！」

天子笑道：「此事容易，你是李行首兄弟，誰敢拿你！」燕青以目送情與李師師。

李師師撒嬌撒痴，奏天子道：「我只要陛下親書一道赦書，赦免我兄弟，他才放心。」

天子云：「又無御寶在此，如何寫得？」

李師師又奏道：「陛下親書御筆，便強似玉寶天符。救濟兄弟做得護身符時，也是賤人遭際聖時。」天子被逼不過，只得命取紙筆。

奶子隨即捧過文房四寶，燕青磨得墨濃，李師師遞過紫毫象管。天子拂開花箋黃紙，橫內大書一行。臨寫，又問燕青道：「寡人忘卿姓氏。」

燕青道：「男女◆喚做燕青。」

天子便寫御書道：「神霄王府真主宣和羽士虛靖道君皇帝，特赦燕青本身一應無罪，諸司不許拿問。」

寫罷，下面押個御書花字。燕青再拜，叩頭受命。李師師執盞擎杯謝恩。

天子便問：「汝在梁山泊，必知那裡備細。」

燕青奏道：「宋江這夥，旗上大書『替天行道』，堂設『忠義』為名，不敢侵占州府，不肯擾害良民，單殺贓官汙吏讒佞之人，只是早望招安，願與國家出力。」

天子乃曰：「寡人前者兩番降詔，遣人招安，如何抗拒，不服歸降？」

燕青奏道：「頭一番招安，詔書上並無撫恤招諭之言，更兼抵換了御酒，盡是村醪，以此變了事情。第二番招安，故把詔書讀破句讀，要除宋江，暗藏弊幸，因此又變了事情。童樞密引軍到來，只兩陣，殺得片甲不回。高太尉提督軍馬，又役天下民夫，修造戰船征進，不曾得梁山泊一根折箭。

「只三陣，殺得手腳無措，軍馬折其三停，自己亦被活捉上山。許了招安，方才放回，又帶了山上二人在此，卻留下聞參謀在彼質當。」

天子聽罷，便嘆道：「寡人怎知此事！童貫回京時奏說：『軍士不服暑熱，暫且收兵罷戰。』高俅回京奏道：『病患不能征進，權且罷戰回京。』」

李師師奏道：「陛下雖然聖明，深居九重，卻被奸臣閉塞賢路，如之奈何？」天子嗟嘆不已。

約有更深，燕青拿了赦書，叩頭安置，自去歇息。天子與李師師上床同寢，當夜五更，自有內侍黃門◆接將去了。

◆男女──地位低下者或奴僕的自稱。

黃門──太監。東漢時黃門令、中黃門等官均太監所任，故稱太監為「黃門」。

燕青起來，推道清早幹事，逕來客店裡，把說過的話，對戴宗一一說知。戴宗道：「既然如此，多是幸事。我兩個去下宿太尉的書。」燕青道：「飯罷便去。」兩個吃了些早飯，打挾了一籠子金珠細軟之物，拿了書信，逕投宿太尉府中來。街坊上借問人時，說太尉在內裡未歸。燕青道：「這早晚正是退朝時分，如何未歸？」街坊人道：「宿太尉是今上心愛的近侍官員，早晚與天子寸步不離，歸早歸晚，難以指定。」正說之間，有人報道：「這不是太尉來也！」燕青大喜，便對戴宗道：「哥哥，你只在此衙門前伺候，我自去見太尉去。」燕青近前，看見一簇錦衣花帽從人，擁著轎子。燕青就當街跪下，便道：「小人有書札上呈太尉。」宿太尉見了，叫道：「跟將進來！」燕青隨到廳前。太尉下了轎子，便投側首書院裡坐下。太尉叫燕青入來，便問道：「你是哪裡來的幹人？」燕青道：「小人從山東來，今有聞參謀書札上呈。」

太尉道：「哪個聞參謀？」

燕青便向懷中取出書，呈遞上去，宿太尉看了封皮，說道：「我道是哪個聞參謀，原來是我幼年間同窗的聞煥章！」遂拆開書來看時，寫道：

侍生聞煥章沐手百拜奉書

太尉恩相鈞座前：賤子自髫年時，出入門牆，已三十載矣！昨蒙高殿帥召至軍前，參謀大事。奈緣勸諫不從，忠言不聽，三番敗績，言之甚羞。高太尉與賤子，一同被擄，陷於縲絏。義士宋公明，寬裕仁慈，不忍加害。今高殿帥帶領梁山蕭讓、樂和赴京，欲請招安，留賤子在此質當。萬望恩相不惜齒牙，早晚於天子前題奏，速降招安之典，俾令義士宋公明等，早得釋罪獲恩，建功立業，國家幸甚！天下幸甚！救取賤子，實領再生之賜。拂楮拳拳◈，幸垂照察。

宣和四年春正月　日　煥章再拜奉上

◈拳拳——敬慕眷戀的樣子。

宿太尉看了書，大驚，便問道：「你是誰？」

燕青答道：「男女是梁山泊浪子燕青。」隨即出來，取了籠子，逕到書院裡。

燕青稟道：「太尉在華州降香時，多曾伏侍太尉來，恩相緣何忘了。宋江哥哥有些微物相送，聊表我哥哥寸心。每日占卜課內，只著求太尉提拔救濟。宋江等滿眼只望太尉來招安，若得恩相早晚於天子前題奏此事，則梁山泊十萬人之眾，皆感大恩！哥哥責著限次，男女便回。」燕青拜辭了，便出府來。宿太尉使人收了金珠寶物，已有在心。

且說燕青便和戴宗回店中商議：「這兩件事都有些次第，只是蕭讓、樂和在高太尉府中，怎生得出？」

戴宗道：「我和你依舊扮做山人，去高太尉府前伺候。等他府裡有人出來，把些金銀賄賂與他，賺得一個廝見，通了消息，便有商量。」當時兩個換了結束，帶將金銀，逕投太平橋來。在衙門前窺望了一回，只見府裡一個年紀小的虞候，搖擺將出來，燕青便向前與他施禮。那虞候道：「你是甚人？」燕青道：「請幹辦到茶肆中說話。」兩個到閣子內，與戴宗相見了，同坐吃茶。

燕青道：「實不瞞幹辦說，前者太尉從梁山泊帶來那兩個人，一個跟的叫做樂和，與我這哥哥是親眷，欲要見他一見，因此上相央幹辦。」

虞候道：「你兩個且休說，節堂深處的勾當，誰理會得？」

戴宗便向袖內取出一錠大銀，放在桌子上，對虞候道：「足下只引得樂和出來，相見一面，不要出衙門，便送這錠銀子與足下。」

那人見了財物，一時利動人心，便道：「端的有這兩個人在裡面。太尉鈞旨，只教養在後花園裡歇宿。我與你喚他出來，說了話，你休失信，把銀子與我。」

戴宗道：「這個自然。」

那人便起身吩咐道：「你兩個只在此茶坊裡等我。」那人急急入府去了。

戴宗、燕青兩個在茶房中，等不到半個時辰，只見那小虞候慌慌出來說道：「先把銀子來，樂和已叫出在耳房裡了。」

戴宗與燕青附耳低言，如此如此，就把銀子與他。虞候得了銀子，便引燕青耳房裡來見樂和。那虞候道：「你兩個快說了話便去！」

燕青便與樂和道：「我同戴宗在這裡定計，賺得你兩個出去。」

樂和道：「直把我兩個養在後花園中，牆垣又高，無計可出，折花梯子，盡都藏過了，如何能夠出來。」

燕青道：「靠牆有樹麼？」樂和道：「旁邊一遭，都是大柳樹。」

燕青道：「今夜晚間，只聽咳嗽為號。我在外面，漾◆過兩條索去，你就相近的柳樹上，把索子絞縛了。我兩個在牆外，各把一條索子扯住，你兩個就從索上盤將出來。四更為期，不可失誤。」

那虞候便道：「你兩個只管說甚的？快去罷！」樂和自入去了，暗暗通報了蕭讓。燕青急急去與戴宗說知，當日至夜伺候著。

且說燕青、戴宗兩個，就街上買了兩條粗索，藏在身邊，先去高太尉府後看了落腳處。

原來離府後是條河，河邊卻有兩隻空船纜著，離岸不遠。兩個便就空船裡伏了，看看聽得更鼓已打四更，兩個便上岸來，繞著牆後咳嗽，只聽得牆裡應聲咳嗽，兩邊都已會意，燕青便把索來漾將過去。約莫裡面拴縛牢了，兩個在外面對絞定，緊緊地拽住索頭。只見樂和先盤出來，隨後便是蕭讓。兩個都溜將下來，卻把索子丟入牆內去了。

卻去敲開客店門，房中取了行李，就店中打火，做了早飯吃，算了房宿錢。四個來到城門邊，等門開時，一湧出來，望梁山泊回報消息。不是這四個回來，有分教：

宿太尉單奏此事，梁山泊全受招安。

畢竟宿太尉怎生奏請聖旨？且聽下回分解。

◈漾——拋擲。

第八二回

梁山泊分金大買市
宋公明全夥受招安

話說燕青在李師師家遇見道君皇帝，告得一道本身赦書，次後見了宿太尉，又和戴宗定計，去高太尉府中賺出蕭讓、樂和。

四個人等城門開時，隨即出城，逕趕回梁山泊來，報知上項事務。

且說李師師當夜不見燕青來家，心中亦有些疑慮。

卻說高太尉府中親隨，人次日供送茶飯與蕭讓、樂和，就房中不見了二人，慌忙報知都管。都管便來花園中看時，只見柳樹邊拴著兩條粗索，已知走了二人，只得報知太尉。高俅聽罷，吃了一驚，越添憂悶，只在府中推病不出。

次日五更，道君皇帝設朝，駕坐文德殿。文武班齊，天子宣命捲簾，旨令左右近臣，宣樞密使童貫出班。問道：「你去歲統十萬大軍，親為招討，征進梁山泊，勝敗如何？」

童貫跪下，便奏道：「臣舊歲統率大軍，前去征進，非不效力，奈緣暑熱，軍士不服水土，患病者眾，十死二三。臣見軍馬艱難，以此權且收兵罷戰，各歸本營操練。所有御林軍，於路病患，多有損折。次後降詔，此夥賊人不服招撫，及高俅以舟師征進，亦中途抱病而返。」

天子大怒，喝道：「都是汝等妒賢嫉能，奸佞之臣，瞞著寡人行事！你去歲統兵征伐梁山泊，如何只兩陣，被寇兵殺得人馬辟易◆，片甲隻騎無還，遂令王師敗績。次後高俅那廝廢了州郡多少錢糧，陷害了許多兵船，折了若干軍馬，自己又被寇活捉上山，宋江等不肯殺害，放將回來。

◆辟易——退避。

「寡人聞宋江這夥不侵州府，不掠良民，只待招安，與國家出力，都是汝等不才貪佞之臣，枉受朝廷爵祿，壞了國家大事！汝掌管樞密，豈不自慚！本當拿問，姑免這次，再犯不饒！」童貫默默無言，退在一邊。天子又問：「你大臣中，誰可前去招撫梁山泊宋江等一班人眾？」聖宣未了，有殿前太尉宿元景出班跪下，奏道：「臣雖不才，願往一遭。」天子大喜：「寡人御筆親書丹詔。」便叫抬上御案，拂開詔紙，天子就御案上親書丹詔。左右近臣，捧過御寶，天子自行用訖。又命庫藏官，教取金牌三十六面，銀牌七十二面，紅錦三十六疋，綠錦七十二疋，黃封御酒一百八瓶，盡付與宿太尉。又贈正從表裡二十四疋，金字招安御旗一面，限次日便行。

宿太尉就文德殿辭了天子。百官朝罷，童樞密羞慚滿面，回府推病，不敢入朝。高太尉聞知，恐懼無措，亦不敢入朝。有詩為證：

一封恩詔出明光，佇看梁山盡束裝。
知道懷柔勝征伐，悔教赤子受痍傷。

且說宿太尉打擔了御酒、金銀牌面、緞疋表裡之物，上馬出城；打起御賜金字黃旗，眾官相送出南薰門，投濟州進發，不在話下。卻說燕青、戴宗、蕭讓、樂和四個連夜到山寨，把上件事都說與宋公明並頭領知道。燕青便取出道君皇帝御筆親寫赦書，與宋江等眾人看了。

吳用道：「此回必有佳音！」宋江焚起好香，取出九天玄女課來，望空祈禱祝告了，卜得個上上大吉之兆。宋江大喜，此事必成。再煩戴宗、燕青前去探聽虛實，作急回報，好做準備。

戴宗、燕青去了數日，回來報說：「朝廷差宿太尉親賫丹詔，更有御酒、金銀牌面、紅綠錦緞表裡，前來招安，早晚到也！」

宋江聽罷，大喜，在忠義堂上，忙傳將令，分撥人員，從梁山泊直抵濟州地面，紮縛起二十四座山棚，上面都是結綵懸花，下面陳設笙簫鼓樂。各處附近州郡，雇倩樂人，分撥於各山棚去處，迎接詔敕。

每一座山棚上，撥一個小頭目監管。一壁教人分投買辦果品、海味、按酒、乾食等項，準備筵宴茶飯席面。

且說宿太尉奉敕來梁山泊招安，一干人馬，迤邐都到濟州。太守張叔夜出郭迎接入城，館驛中安下。太守起居宿太尉已畢。把過接風酒，張叔夜稟道：「朝廷頒詔敕來招安，已是二次，蓋因不得其人，誤了國家大事。今者太尉此行，必與國家立大功也！」

宿太尉乃言：「天子近聞梁山泊一夥，以義為主，不侵州郡，不害良民，口稱替天行道，今差下官齎到天子御筆親書丹詔，敕賜金牌三十六面，銀牌七十二面，紅錦三十六疋，綠錦七十二疋，黃封御酒一百八瓶，表裡二十四疋，來此招安，禮物輕否？」

張叔夜道：「這一班人，非在禮物輕重，要圖忠義報國，揚名後代。若得太尉早來如此，也不教國家損兵折將，虛耗了錢糧。此一夥義士歸降之後，必與朝廷建功立業。」

宿太尉道：「下官在此專待，有煩太守親往山寨報知，著令準備迎接。」

張叔夜答道：「小官願往。」隨即上馬出城，帶了十數個從人，逕投梁山泊來。

到得山下，早有小頭目接著，報上寨裡來。宋江聽罷，慌忙下山，迎接張太守上山。到忠義堂上，相見罷，張叔夜道：「義士恭喜！朝廷特遣殿前宿太尉齎擎丹詔，御筆親書，前來招安；敕賜金牌、表裡、御酒、緞疋，現在濟州城內。義士可以準備迎接詔旨。」

宋江大喜，以手加額◈道：「宋江等再生之幸！」當時留請張太守茶飯。

張叔夜道：「非是下官拒意，惟恐太尉見怪回遲。」

宋江道：「略奉一杯，非敢為禮。」張叔夜堅執便行。

宋江忙教托出一盤金銀相送。張太守見了，便道：「這個決不敢受。」

宋江道：「些少微物，聊表寸心。若事畢之後，尚容圖報。」

張叔夜道：「深感義士厚意，且留於大寨，卻來請領，亦未為晚。」

太守可謂廉以律己者矣。有詩為證：

濟州太守世無雙，不愛黃金愛宋江。

◈以手加額—把手放在額頭上，表示慶幸、感激。

信是清廉能服眾，非關威勢可招降。

宋江便差大小軍師吳用、朱武並蕭讓、樂和四個，跟隨張太守下山，直往濟州來，參見宿太尉。約至後日，眾多大小頭目離寨三十里外，伏道相迎。當時吳用等跟隨太守張叔夜連夜下山，直到濟州。

次日，來館驛中參見宿太尉，拜罷跪在面前。宿太尉教平身起來，俱各命坐。四個謙讓，哪裡敢坐。

太尉問其姓氏，吳用答道：「小生吳用，在下朱武、蕭讓、樂和，奉兄長宋公明命，特來迎接恩相。兄長與弟兄，後日離寨三十里外，伏道迎接。」

宿太尉大喜，便道：「加亮先生，自從華州一別之後，已經數載，誰想今日得與重會！下官知汝弟兄之心，素懷忠義，只被奸臣閉塞，讒佞專權，使汝眾人下情不能上達。目今天子悉已知之，特命下官齎到天子御筆親書丹詔、金銀牌面、紅綠錦緞、御酒表裡，前來招安。汝等勿疑，盡心受領。」

吳用等再拜稱謝道：「山野狂夫，有勞恩相降臨。感蒙天恩，皆出太尉之賜。眾弟兄刻骨銘心，難以補報。」張叔夜一面設宴管待。

到第三日清晨，濟州裝起香車三座，將御酒另一處龍鳳盒內抬著；金銀牌面，紅綠錦緞，另一處扛抬；御書丹詔，龍亭內安放。宿太尉上了馬，靠龍亭東行，太守張叔夜騎馬在後相陪；吳用等四人，乘馬跟著；大小人伴，一齊簇擁。

前面馬上，打著御賜銷金黃旗，金鼓旗幡隊伍開路，出了濟州，迤邐前行。未及十里，早迎著山棚。宿太尉在馬上看了，見上面結綵懸花，下面笙簫鼓樂，迫道迎接。再行不過數十里，又是結彩山棚。前面望見香煙接道，宋江、盧俊義跪在面前，背後眾頭領齊齊都跪在地下，迎接恩詔。

宿太尉道：「都教上馬。」

一同迎至水邊，那梁山泊千百隻戰船，一齊渡將過去，直至金沙灘上岸。三關之上，三關之下，鼓樂喧天，軍士導從，儀衛不斷，異香繚繞，直至忠義堂前下馬。香車龍亭，抬放忠義堂上。中間設著三個几案，都用黃羅龍鳳桌圍圍著。正中設萬歲龍牌，將御書丹詔，放在中間；金銀牌面，放在左邊；紅綠錦緞，放在右邊；御酒表裡，亦放於前。金爐內焚著好香。宋江、盧俊義邀請宿太尉、張太守上堂設坐。左邊立著蕭讓、樂和，右邊立著裴宣、燕青。宋江、盧俊義等，都跪在堂前。裴宣喝拜。拜罷，蕭讓開讀詔文。

制曰：朕自即位以來，用仁義以治天下，公賞罰以定干戈，求賢未嘗少怠，愛民如恐不及，遐邇赤子，咸知朕心。切念宋江、盧俊義等，素懷忠義，不施暴虐，歸順之心已久，報效之志凛然。雖犯罪惡，各有所由，察其衷情，深可憐憫。

朕今特差殿前太尉宿元景齎捧詔書，親到梁山水泊，將宋江等大小人員所犯罪惡盡行赦免。

給降金牌三十六面、紅錦三十六疋，賜與宋江等上頭領；銀牌七十二面、綠錦七十二疋，賜與宋江部下頭目。赦書到日，莫負朕心，早早歸順，必當重用。故茲詔敕，想宜悉知。

宣和四年春二月　　日詔示

蕭讓讀罷丹詔，宋江等三呼萬歲，再拜謝恩已畢。宿太尉取過金銀牌面、紅綠錦緞，令裴宣依次照名給散已罷。叫開御酒，取過銀酒海，都傾在裡面。隨即取過鏇杓舀酒，就堂前溫熱，傾在銀壺內。

宿太尉執著金鍾，斟過一杯酒來，對眾頭領道：「宿元景雖奉君命，特齎御酒到此，命賜眾頭領，誠恐義士見疑。元景先飲此杯，與眾義士看，勿得疑慮。」眾頭領稱謝不已。

宿太尉飲畢，再斟酒來，先勸宋江，宋江舉杯跪飲。然後盧俊義、吳用、公孫勝陸續飲酒，遍勸一百單八名頭領，俱飲一杯。

宋江傳令，教收起御酒，卻請太尉居中而坐，眾頭領拜覆起居。

宋江進前稱謝道：「宋江昨者西嶽得識臺顏，多感太尉恩厚，於天子左右，力奏救拔宋江等再見天日之光。銘心刻骨，不敢有忘。」

宿太尉道：「元景雖知義士等忠義凜然，替天行道，奈緣不知就裡委曲之事，因此，天子左右未敢題奏，以致耽誤了許多時。前者收得聞參謀書，又蒙厚禮，方知有此衷情。其日天子在披香殿上，官家與元景閒論，問起義士，以此元景奏知此事。不期天子已知備細，與某所奏相同。「次日，天子駕坐文德殿，就百官之前，痛責童樞密、深怪高太尉，累次無功。親命取過文房四寶，天子御筆親書丹詔，特差宿某親到大寨，啟請眾頭領。煩望義士早早收拾朝京，休負聖天子宣召撫安之意。」眾皆大喜，拜手稱謝。禮畢，張太守推說地方有事，別了太尉，自回城內去了。

這裡且說宋江，教請出聞參謀相見，宿太尉欣然話舊，滿堂歡喜。當請宿太尉居中上坐，聞參謀對席相陪。堂上堂下，皆列位次，大設筵宴，輪番把盞。廳前大吹大擂。雖無炮龍烹鳳，端的是肉山酒海。

當日盡皆大醉，各扶歸幕次安歇。次日又排筵宴，個個傾心露膽，講說平生之懷。第三日，再排席面，請宿太尉遊山，至暮盡醉方散。

倏爾◈已經數日，宿太尉要回，宋江等堅意相留。宿太尉道：「義士不知就裡，元景奉天子敕旨而來，到此間數日之久，荷蒙英雄慨然歸順，大義俱全。若不急回，誠恐奸臣相妒，別生異議。」宋江等道：「太尉既然如此，不敢苦留。今日盡此一醉，來早拜送恩相下山。」當時會集大小頭領，盡來集義飲宴。吃酒中間，眾皆稱謝。宿太尉又用好言撫恤，至晚方散。

次日清晨，安排車馬，宋江親捧一盤金珠到宿太尉幕次，再拜上獻。宿太尉哪裡肯受。宋江再三獻納，方才收了。打疊衣箱，拴束行李鞍馬，準

◈倏爾——突然、很快的。

備起程。其餘跟來人數，連日自是朱武、樂和管待，依例飲饌，酒量高低，並皆厚贈金銀財帛，眾人皆喜。仍將金寶齎送聞參謀，亦不肯受。宋江堅執奉承，才肯收納。

宋江遂請聞參謀隨同宿太尉回京師。梁山泊大小頭領，金鼓細樂，相送太尉下山。渡過金沙灘，俱送過三十里外，眾皆下馬，與宿太尉把盞餞行。宋江當先執盞擎杯道：「太尉恩相回見天顏，善言保奏。」

宿太尉回道：「義士但且放心，只早早收拾朝京為上。軍馬若到京師來，可先使人到我府中通報。俺先奏聞天子，使人持節◈來迎，方見十分公氣。」

宋江道：「恩相容覆：小可水洼，自從王倫上山開創之後，卻是晁蓋上山，今至宋江，已經數載，附近居民，擾害不淺。小可愚意，今欲罄竭資財，買市◈十日，收拾已了，便當盡數朝京，安敢遲滯。亦望太尉將此愚衷，上達天聽，以寬限次。」

宿太尉應允，別了眾人，帶了開詔一干人馬，自投濟州而去。

宋江等卻回大寨，到忠義堂上，鳴鼓聚眾。大小頭領坐下，諸多軍校都到堂前。

宋江傳令：「眾弟兄在此，自從王倫開創山寨以來，次後晁天王上山建業，如此興旺。我自江州得眾兄弟相救到此，推我為尊，已經數載。今日喜得朝廷招安，重見天日之面，早晚要去朝京，與國家出力。今來汝等眾人，但得府庫之物，納於庫中公用，其餘所得之資，並從均分。我等一百八人，上應天星，生死一處。

「今者天子寬恩降詔，赦罪招安，大小眾人，盡皆釋其所犯。我等一百八人，早晚朝京面聖，莫負天子洪恩。汝等軍校，也有自來落草的，也有隨眾上山的，亦有軍官失陷的，亦有擄掠來的。今次我等受了招安，俱赴朝廷。你等如願去的，作速上名進發◈；如不願去的，就這裡報名相辭。我自

◈**持節**──古代使臣奉命出行，執符節以為憑證，故稱出使為「持節」。

買市──宋、元時官方或富豪人家以買賣東西為名，召集小經紀商人聚集一處，給與犒賞，作為臨時市集，稱為「買市」。

齎發你等下山，任從生理。」

宋江號令已罷，著落裴宣、蕭讓照數上名。號令一下，三軍個個自去商議。當下辭去的，也有三五千人。宋江皆賞錢物，齎發去了。願隨去充軍者，作數報官。

次日，宋江又令蕭讓寫了告示，差人四散去貼，曉示臨近州郡鄉鎮村坊，個個報知，仍請諸人到山買市十日。其告示曰：

梁山泊義士宋江等，謹以大義布告四方：向因聚眾山林，多擾四方百姓，今日幸蒙天子寬仁厚德，特降詔敕，赦免本罪，招安歸降，朝暮朝覲，無以酬謝，就本身買市十日。倘蒙不外，齎價前來，一一報答，並無虛謬。特此告知，遠近居民，勿疑辭避，惠然光臨，不勝萬幸。

宣和四年三月　日　梁山泊義士宋江等謹請

蕭讓寫畢告示，差人去附近州郡及四散村坊，盡行貼遍。發庫內金珠、寶貝、綵緞、綾羅、紗絹等項，分散各頭領並軍校人員。另選一分，為上國進奉。其餘堆集山寨，盡行招人買市十日，於三月初三日為始，至十三日止。宰下牛羊，醞造酒醴，但到山寨裡買市的人，盡以酒食管待，犒勞從人。

至期，四方居民，擔囊負笈，霧集雲屯，俱至山寨。宋江傳令，以一舉十，俱各歡喜，拜謝下山。一連十日，每日如此。十日以外，住罷買市。號令大小，收拾赴京朝覲。宋江便要起送各家老小還鄉。

吳用諫道：「兄長未可。且留眾寶眷在此山寨。待我等朝覲面君之後，承恩已定，那時發遣各家老小還鄉未遲。」

宋江聽罷道：「軍師之言極當。」

再傳將令，教頭領即便收拾，整頓軍士。宋江等隨即火速起身，早到濟州，謝了太守張叔夜。太守即設筵宴，管待眾多義士，賞勞三軍人馬。宋江等辭了張太守，出城進發，帶領眾多軍馬，逕投東京來。

◈進發——前進出發。

先令戴宗、燕青前來京師宿太尉府中報知。太尉見說，隨即便入內裡，奏知天子，宋江等眾軍馬朝京。天子聞奏大喜，便差太尉並御駕指揮使一員，手持旌旄節鉞，出城迎接。當下宿太尉領聖旨出郭。

且說宋江軍馬在路，甚是擺得整齊。前面打著兩面紅旗，一面上書「順天」二字，一面上書「護國」二字。眾頭領都是戎裝披掛，惟有吳學究綸巾羽服，公孫勝鶴氅道袍，魯智深烈火僧衣，武行者香皂直裰，其餘都是戰袍金鎧，本身服色。在路非止一日。來到京師城外，前逢御駕指揮使，持節迎著軍馬。宋江聞知，領眾頭領前來參見宿太尉已畢，且把軍馬屯駐新曹門外，下了寨柵，聽候聖旨。

且說宿太尉並御駕指揮使入城，回奏天子說：「宋江等軍馬，俱屯在新曹門外，聽候聖旨。」

天子乃曰：「寡人久聞梁山泊宋江等有一百八人，上應天星，更兼英雄勇猛。今已歸降，到於京師。寡人來日，引百官登宣德樓，可教宋江等，俱依臨敵披掛戎裝服色，休帶大隊人馬，只將三五百馬步軍進城，自東過西，寡人親要觀看。也教在城軍民，知此英雄豪傑，為國良臣。然後卻令卸其衣甲，除去軍器，都穿所賜錦袍，從東華門而入，就文德殿朝見。」御駕指揮使直至行營寨前，口傳聖旨，與宋江等知道。

次日，宋江傳令，教鐵面孔目裴宣選揀彪形大漢、五七百步軍，前面打著金鼓旗旛，後面擺著槍刀斧鉞，中間豎著「順天」、「護國」二面紅旗，軍士各懸刀劍弓矢，眾人個個都穿本身披掛，戎裝袍甲，擺成隊伍，從東郭門而入。只見東京百姓軍民，扶老挈幼，迫◈路觀看，如睹天神。是時天子引百官在宣德樓上，臨軒觀看。見前面擺列金鼓旗幡，槍刀斧鉞，各分隊伍；中有踏白◈馬軍，打起「順

◈迫──接近。　**踏白**──宋代騎兵番號名。

天」、「護國」二面紅旗，外有二、三十騎馬上隨軍鼓樂；後面眾多好漢，簇簇而行。怎見得英雄好漢，入城朝覲，但見：

風清玉陛，露浥金盤。東方旭日初升，北闕珠簾半捲。南薰門外，一百八員義士歸心；宣德樓前，萬萬歲君王刮目。肅威儀乍行朝典，逞精神猶整軍容。風雨日星，並識天顏之霽；電雷霹靂，不煩天討之威。帝闕前萬靈咸集：有聖、有仙、有哪吒、有金剛、有閻羅、有判官、有門神、有太歲，乃至夜叉鬼魔，共仰道君皇帝。鳳樓下百獸來朝：為彪、為豹、為麒麟、為狻猊、為狴犴、為金翅、為雕鵬、為龜猿，以及犬鼠蛇蠍，皆知宋主人王。五龍夾日，是為入雲龍、混江龍、出林龍、九紋龍、獨角龍，如出洞蛟、翻江蜃，自逐隊朝天。眾虎離山，是為插翅虎、跳澗虎、錦毛虎、花項虎、青眼虎、笑面虎、矮腳虎、中箭虎，若病大蟲、母大蟲，亦隨班行禮。

原稱公侯伯子的，應諳朝儀；誰知塵舞三呼，亦許園丁、醫算、匠作、船工之輩。

凡生毛髮鬚髯的，自堪寵命；豈意緋袍紫綬，並加婦人、浪子、和尚、行者之身。

擬空名，則太保、軍師、郡馬、孔目、郎將、先鋒，官銜早列；比古人，則霸王、李廣、關索、溫侯、尉遲、仁貴，當代重生。

有那生得好的，如「白面郎」插一枝花，擎著笛扇鼓旛，欲歌且舞；看這生得醜的，似「青面獸」蒙鬼臉兒，拿著槍刀鞭箭，會戰能征。

長的比「險道神」，身長一丈；狠的像「石將軍」，力鎮三山。

髮可赤，眼可青，俱各抱丹心一片；

摸得天，跳得浪，決不走邪佞兩途。

喜近君王，不似昔時無面目；恩寬防禦，果然此日沒遮攔。

試看全夥裡舞槍弄棒的書生，猶勝滿朝中欺君害民的官吏。

義士今欣遇主，皇家始慶得人！

且說道君皇帝，同百官在宣德樓上，看了梁山泊宋江等這一行部從，喜動龍顏，心中大悅，與百官道：「此輩好漢真英雄也！」嘆羨不已，命殿頭官傳旨，教宋江等各換御賜錦袍見帝。

殿頭官領命，傳與宋江等。向東華門外，脫去戎裝慣帶，穿了御賜紅綠錦袍，懸帶金銀牌面，各帶朝天巾幘，抹綠朝靴。惟公孫勝將紅錦裁成道袍，魯智深縫做僧衣，武行者改作直裰，皆不忘君賜也。

宋江、盧俊義為首，吳用、公孫勝為次，引領眾人，從東華門而入。

當日整肅朝儀，陳設鑾駕，辰牌時候，天子駕陞文德殿。

儀禮司官，引宋江等依次入朝，排班行禮。殿頭官贊拜舞起居，三呼萬歲已畢，天子欣喜，勅令宣上文德殿來，照依班次賜坐。

命排御筵，敕光祿寺擺宴，良醞署進酒，珍饈署造食，掌醢◆署造飯，大官署供膳，教坊司奏樂。天子親御寶座陪宴。只見：

九重門啟，鳴噦噦之鸞聲◆；閶闔天開，睹巍巍之龍袞◆。

筵開玳瑁，七寶器黃金嵌就；爐列麒麟，百和香龍腦◈修成。
玻璃盞間琥珀鍾，瑪瑙杯聯珊瑚斝◈。
赤瑛盤內，高堆麟脯鸞肝；紫玉碟中，滿飣◈駝蹄熊掌。
桃花湯潔，縷塞北之黃羊；銀絲膾鮮，剖江南之赤鯉。
黃金盞滿泛香醪，紫霞杯灩浮瓊液。
五組八簋，百味庶饈。糖澆就甘甜獅仙◈，麵製成香酥定勝◈。
方當酒進五巡，正是湯陳三獻。教坊司鳳鸞韶舞，禮樂司排長伶官。
朝鬼門道◈，分明開說。
頭一個裝外◈的，黑漆帕頭，有如明鏡，描花羅襴，儼若生成；
第二個戲色◈的，繫離水犀角腰帶，裹紅花綠葉羅巾，

◈**醢**——肉醬。音海。 **鸞聲噦噦**——有節奏的鈴聲。噦噦，聲音輕緩有節奏。噦音惠。
龍袞巍巍——天子禮服，上繡龍紋。
斝——古代酒器。形狀像爵而較大，三足兩柱，圓口平底，盛行於商代。此代指酒杯。斝音假。
龍腦——由龍腦樹科的樹幹採製結晶而成。類似樟腦。 **飣**——堆滿。飣音定。

黃衣襴長襯短靿靴，衫袖襟密排山水樣；

第三個末色◆的，裹結絡毬頭帽子，著篾役疊勝羅衫。

最先來提掇甚分明，念幾段雜文真罕有。

第四個淨色◆的，語言動眾，顏色繁過。

依院本填腔調曲，按格範打諢發科◆。

第五個貼淨◆的，忙中九伯，眼目張狂。

隊額角塗一道明戧，劈面門抹兩色蛤粉◆。

裹一頂油油膩膩舊頭巾，穿一領邋邋遢遢潑戲襖。

吃六棒枒板不嫌疼，打兩杖麻鞭渾似耍。

這五人引領著六十四回隊舞優人，

百二十名散做樂工，搬演雜劇，裝孤◆打攛◆。

個個青巾桶帽，人人紅帶花袍。

吹龍笛，擊鼉鼓，聲震雲霄；彈錦瑟，撫銀箏，韻驚魚鳥。

吊百戲眾口喧譁，縱諧語齊聲喝采。

裝扮的是太平年萬國來朝，雍熙世八仙慶壽；
搬演的是玄宗夢遊廣寒殿，狄青夜奪崑崙關。
也有神仙道侶，亦有孝子順孫。
觀之者，真可堅其心志；聽之者，足以養其性情。
須臾間八個排長簇擁著四個美人，歌舞雙行，吹彈並舉。
歌的是朝天子、賀聖朝、感皇恩、殿前歡，治世之音；
舞的是醉回回、活觀音、柳青娘、鮑老兒，淳正之態。
果然：道百寶妝腰帶，珍珠絡臂鞲；笑時花近眼，舞罷錦纏頭。
大宴已成，眾樂齊舉。主上無為千萬壽，天顏有喜萬方同。

◆**獅仙**—一種賞食兼備的玩具。用白糖、白芝麻相和，用火煎熬，傾倒進木模印內待涼後即成。其中最受喜愛的就是獅仙糖，即用糖印做騎獅子的仙人形象。
定勝—臨安百姓製作贈送軍士的酥餅。 **鬼門道**—舊稱戲臺上的上、下場門。
裝外、**戲色**、**末色**、**淨色**、**貼淨**—此指雜劇腳色。
打諢發科—以滑稽的動作和語言引人發笑。 **蛤粉**—即蛤灰。
裝孤—宋元雜劇中扮演官員的腳色。 **打攛**—角色在舞臺上進進出出，跑來跑去。

有詩為證：

九重鳳闕新開宴，千歲龍墀舊賜衣。
蓋世功名能自立，矢心忠義豈相違。

且說天子賜宋江等筵宴，至暮方散。謝恩已罷，宋江等俱各簪花出內。在西華門外，各各上馬，回歸本寨。次日入城，禮儀司引至文德殿謝恩。喜動龍顏，天子欲加官爵，敕令宋江等來日受職。宋江等謝恩，出朝回寨，不在話下。

又說樞密院官具本上奏：「新降之人，未效功勞，不可輒便加爵，可待日後征討，建立功勳，量加官賞。現今數萬之眾，逼城下寨，甚為不宜。陛下可將宋江等所部軍馬，原是京師有被陷之將，仍還本處，外路軍兵，各歸原所。其餘人眾，分作五路，山東、河北分調開去，此為上策。」

次日，天子命御駕指揮使，直至宋江營中，口傳聖旨，令宋江等分開軍馬，各歸原所。

眾頭領聽得，心中不悅，回道：「我等投降朝廷，都不曾見些官爵，便要將俺弟兄等分遣調開。俺等眾頭領，生死相隨，誓不相捨。端的要如此，我們只得再回梁山泊去！」

宋江急忙止住，遂用忠言懇求來使，煩乞善言回奏。那指揮使回到朝廷，哪裡敢隱蔽，只得把上項所言，奏聞天子。天子大驚，急宣樞密院官計議。

有樞密使童貫奏道：「這廝們雖降，其心不改，終貽大患。以臣愚意，不若陛不傳旨，賺入京城，將此一百八人盡數剿除，然後分散他的軍馬，以絕國家之患。」天子聽罷，聖意沉吟未決。

向那御屏風背後轉出一大臣，紫袍象簡，高聲喝道：「四邊狼煙未息，中間又起禍胎，都是汝等庸悲之臣，壞了聖朝天下！」正是：

只憑立國安邦口，來救驚天動地人。

畢竟御屏風後喝的那員人臣是誰？且聽下回分解。

第八三回

宋公明奉詔破大遼
陳橋驛滴淚斬小卒

話說當年有大遼國王起兵前來，侵占山後九州邊界。兵分四路而入，劫擄山東、山西，搶掠河南、河北。各處州縣，申達表文，奏請朝廷求教，先經樞密院，然後得到御前。

所有樞密童貫同太師蔡京、太尉高俅、楊戩，商議納下表章不奏，只是行移鄰近州府，催調軍馬，前去策應，正如擔雪填井◆一般。

此事人皆盡知，只瞞著天子一個。適來四個賊臣設計，教樞密童貫啟奏，將宋江等眾，要行陷害。

不期那御屏風後轉出一員大臣來喝住，正是殿前都太尉宿元景，便向殿前啟奏道：「陛下，宋江這夥好漢方始歸降，百單八人，恩同手足，意若同胞。他們決不肯便拆散分開，雖死不捨相離。如何今又要害他眾人性命！此輩好漢，智勇非同小可。倘或城中翻變起來，將何解救？

「現今遼國興兵十萬之眾，侵占山後九州所屬縣治，各處申達表文求救。累次調兵前去征勦交鋒，如湯潑蟻◈。賊勢浩大，所遣官軍，又無良策，每每只是折兵損將，瞞著陛下不奏。以臣愚見，正好差宋江等全夥良將，部領所屬軍將人馬，直抵邊境，收伏遼賊，令此輩好漢建功，進用於國，實有便益。微臣不敢自專，乞請聖鑒。」

天子聽罷宿太尉所奏，龍顏大喜，詢問眾官，俱言有理。

天子大罵樞密院童貫等官：「都是汝等讒佞之徒，誤國之輩，妒賢嫉能，閉塞賢路，飾詞矯情，壞盡朝廷大事！姑恕情罪，免其追問。」

天子親書詔敕，賜宋江為破遼都先鋒，盧俊義為副先鋒，其餘諸將，待

◈**擔雪填井**——挑雪去填塞水井。比喻徒勞無功。
如湯潑蟻——像用熱水去潑螞蟻，一潑即散，繼而又聚。比喻效果不明顯。湯，沸水。

建功之後，加官受爵。就差太尉宿元景親齎詔敕，去宋江軍前行營開讀。天子退朝，百官皆散。

且說宿太尉領了聖旨出朝，逕到宋江行寨軍前開讀。宋江等忙排香案迎接，跪聽詔敕已罷，眾皆大喜。

宋江等拜謝宿太尉道：「某等眾人，正欲如此，與國家出力，建功立業，以為忠臣。今得太尉恩相，力賜保奏，恩同父母。只有梁山泊晁天王靈位，未曾安厝◆。亦有各家老小家眷，未曾發送還鄉。所有城垣，未曾拆毀，戰船亦未曾將來。有煩恩相題奏，乞降聖旨，寬限旬日，還山了此數事，整頓器具、槍刀、甲馬，便當盡忠報國。」

宿太尉聽罷大喜，回奏天子。即降聖旨，敕賜庫內取金一千兩，銀五千兩，綵緞五千疋，頒賜眾將，就令太尉於庫藏開支，去行營俵散與眾將。原有老小者，賞賜給付與老小養贍終身。原無老小者，給付本人，自行收受。宋江奉敕，謝恩已畢，給散眾人收訖。

宿太尉回朝，吩咐宋江道：「將軍還山，可速去快來，先使人報知下官，不可遲誤。」

再說宋江聚眾商議，所帶還山人數是誰？宋江與同軍師吳用、公孫勝、林沖、劉唐、杜遷、宋萬、朱貴、宋清、阮家三弟兄，馬步水軍一萬餘人回去，其餘大隊人馬，都隨盧先鋒在京師屯紮。

宋江與吳用、公孫勝等於路無話，回到梁山泊忠義堂上坐下，便傳將令，教各家老小眷屬收拾行李，準備起程。一面叫宰殺豬羊牲口，香燭錢馬，祭獻晁天王，然後焚化靈牌。隨即將各家老小，各各送回原所州縣，上車乘馬，俱已去了。

然後教自家莊客送老小、宋太公並家眷人口，再回鄆城縣宋家村，復為良民。隨即叫阮家三弟兄揀選合用船隻，其餘不堪用的小船，盡行給散與

◆安厝——安葬、埋葬。

附近居民收用。山中應有屋宇房舍，任從居民搬拆。三關城垣，忠義等屋，盡行拆毀。一應事務，整理已了，收拾人馬，火速還京。

一路無話，早到東京。盧俊義等接至大寨。先使燕青入城，報知宿太尉，要辭天子，引領大軍起程。宿太尉見報，入內奏知天子。次日，引宋江於武英殿朝見天子。

龍顏欣悅，賜酒已罷，玉音道：「卿等休辭道途跋涉，軍馬驅馳，與寡人征虜破遼，早奏凱歌而回，朕當重加錄用。其眾將校，量功加爵。卿勿怠焉！」

宋江叩頭稱謝，端簡啟奏：「臣乃鄙猥小吏，誤犯刑典，流遞江州。醉後狂言，臨刑棄市，眾力救之，無處逃避，遂乃潛身水泊，苟延微命。所犯罪惡，萬死難逃。今蒙聖上寬恤收錄，大敷曠蕩之恩，得蒙赦免本罪。臣披肝瀝膽，尚不能補報皇上之恩，今奉詔命，敢不竭力盡忠，死而後已！」

天子大喜，再賜御酒，教取描金鵲畫弓箭一副，名馬一匹，全副鞍轡，寶刀一口，賜與宋江。宋江叩首謝恩，辭陛出內，將領天子御賜寶刀、鞍馬、弓箭，就帶回營，傳令諸軍將校，準備起行。

且說徽宗天子，次早令宿太尉傳下聖旨，教中書省院官二員，就陳橋驛與宋江先鋒犒勞三軍，每名軍士酒一瓶、肉一斤，對眾關支◆，毋得剋減。中書省得了聖旨，一面連更曉夜，整頓酒肉，差官二員，前去給散◆。

再說宋江傳令諸軍，便與軍師吳用計議，將軍馬分作二起進程。令五虎八彪將引軍先行，十驃騎將在後，宋江、盧俊義、吳用、公孫勝統領中軍。水軍頭領三阮、李俊、張橫、張順，帶領童威、童猛、孟康、王定六並水手頭目人等，撐駕戰船，自蔡河內出黃河，投北進發。宋江催趲三軍，取陳橋驛大路而進，號令軍將，毋得動擾鄉民。有詩為證：

◆**關支**──支領、領取。 **給散**──分與眾人。

招搖旌斾出天京，受命專師事遠征。
請看梁山軍紀律，何如太尉御營兵。

且說中書省差到二員廂官，在陳橋驛給散酒肉，賞勞三軍。誰想這夥官員貪濫無厭，徇私作弊，剋減酒肉。都是那等讒佞之徒，貪愛賄賂的人，卻將御賜的官酒每瓶剋減只有半瓶，肉一斤剋減六兩。前隊軍馬盡行給散過了，後軍散到一隊皂軍之中，都是頭上黑盔，身披玄甲，卻是項充、李袞所管的牌手。

那軍漢中一個軍校，接得酒肉過來看時，酒只半瓶，肉只十兩，指著廂官罵道：「都是你這等好利之徒，壞了朝廷恩賞！」

廂官喝道：「我怎的是好利之徒？」

那軍校道：「皇帝賜俺一瓶酒、一斤肉，你都剋減了。不是我們爭嘴，堪恨你這廝們無道理，佛面上去刮金！」

廂官罵道：「你這大膽剮不盡、殺不絕的賊！梁山泊反性尚不改！」

軍校大怒，把這酒和肉劈臉都打將去。廂官喝道：「捉下這個潑賊！」那軍校就團牌邊掣出刀來。廂官指著手大罵道：「腌臢草寇，拔刀敢殺誰？」

軍校道：「俺在梁山泊時，強似你的好漢，被我殺了萬千！量你這等賊官，值些甚鳥？」

廂官喝道：「你敢殺我？」那軍校走入一步，手起一刀飛去，正中廂官臉上，剁著撲地倒了。眾人發聲喊，都走了。那軍漢又趕將入來，再剁了幾刀，眼見得不能夠活了。眾軍漢簇住了不行。

當下項充、李袞飛報宋江。宋江聽得大驚，便與吳用商議，此事如之奈何。

◈**廂官**—宋時將京城劃分為若干廂，每廂置廂官一人，掌管都城各坊廂居民的訟事。
牌手—一手持刀，一手持盾牌的兵卒。　**爭嘴**—為口饞而爭食。

吳學究道：「省院官甚是不喜我等，今又做得這件事來，正中了他的機會。只可先把那軍校斬首號令，一面申覆省院，勒兵聽罪。急急可叫戴宗、燕青悄悄進城，備細告知宿太尉。煩他預先奏知委曲，令中書省院讒害不得，方保無事。」

宋江計議定了，飛馬親到陳橋驛邊。那軍校立在死屍邊不動。宋江自令人於館驛內搬出酒肉，賞勞三軍，都教進前；卻喚這軍校直到館驛中，問其情節。

那軍校答道：「他千梁山泊反賊，萬梁山泊反賊，罵俺們殺剮不盡，因此一時性起，殺了他。專待將軍聽罪。」

宋江道：「他是朝廷命官，我兀自懼他，你如何便把他來殺了？須是要連累我等眾人。俺如今方始奉詔去破大遼，未曾見尺寸之功，倒做了這等的勾當，如之奈何？」那軍校叩首伏死。

宋江哭道：「我自從上梁山泊以來，大小兄弟不曾壞了一個，今日一身入官所管，寸步也由我不得。雖是你強氣未滅，使不得舊時性格。」

這軍校道：「小人只是伏死。」

宋江令那軍校痛飲一醉，教他樹下縊死，卻斬頭來號令。將廂官屍首，備棺槨盛貯，然後動文書申呈中書省院，不在話下。

再說戴宗、燕青潛地進城，逕到宿太尉府內，備細訴知衷情。當晚宿太尉入內，將上項事務奏知天子。

次日，皇上於文德殿設朝，當有中書省院官出班奏曰：「新降將宋江部下兵卒，殺死省院差去監散酒肉命官一員，乞聖旨拿問。」

天子曰：「寡人待不委你省院來，事卻該你這衙門。你們又委用不得其人，以致惹起事端。賞軍酒肉，大破小用，軍士有名無實，以致如此。」

省院等官又奏道：「御酒之物，誰敢剋減？」

是時天威震怒，喝道：「寡人已自差人暗行體察，深知備細，爾等尚自巧言令色，對朕支吾！寡人御賜之酒，一瓶剋減半瓶，賜肉一斤，只有十兩，以致壯士一怒，目前流血！」

天子喝問：「正犯安在？」

省院官奏道：「宋江已自將本犯斬首號令示眾，申呈本院，勒兵聽罪。」

天子曰：「他既斬了正犯軍士，宋江禁治不嚴之罪，權且記錄。待破遼回日，量功理會。」省院官默默無言而退。

天子當時傳旨，差官前去，催督宋江起程，所殺軍校，就於陳橋驛梟首示眾。

卻說宋江正在陳橋驛勒兵聽罪，只見駕上差官來到，著宋江等進兵征遼，違犯軍校，梟首示眾。宋江謝恩已畢，將軍校首級，掛於陳橋驛號令，將屍埋了。宋江大哭一場，垂淚上馬，提兵望北而進。每日兵行六十里，紮營下寨，所過州縣，秋毫無犯。沿路無話。

將次相近遼境，宋江便請軍師吳用商議道：「即日遼兵四路侵犯，我等分兵前去征討的是？只打城池的是？」

吳用道：「若是分兵前去，奈緣地廣人稀，首尾不能救應。不如只是打他幾個城池，卻再商量。若還攻擊得緊，他自然收兵。」

宋江道：「軍師此計甚高！」

隨即喚過段景住來吩咐道：「你走北路甚熟，可引領軍馬前進。近的是甚州縣？」

段景住稟道：「前面便是檀州，正是遼國緊要隘口。有條水路，港汊最深，喚做潞水，團團繞著城池。這潞水直通渭河，須用戰船征進。宜先趲水軍頭領船隻到了，然後水陸並進，船騎相連，可取檀州。」宋江聽罷，便使戴宗催促水軍頭領李俊等，曉夜趲船至潞水取齊。

卻說宋江整點人馬，水軍船隻，約會日期，水陸並行，殺投檀州來。且說檀州城內，守把城池番官，卻是遼國洞仙侍郎手下四員猛將，一個喚做阿里奇，一個喚做咬兒惟康，一個喚做楚明玉，一個喚做曹明濟。此四員戰將，皆有萬夫不當之勇。

聞知宋朝差宋江全夥到來，一面寫表申奏郎主，一面關報鄰近薊州、霸州、涿州、雄州救應，一面調兵出城迎敵。便差阿里奇、楚明玉兩個，引兵出戰。

且說大刀關勝在於前部先鋒，引軍殺近檀州所屬密雲縣來。縣官聞的，飛報與兩個番將說道：「宋朝軍馬，大張旗號，乃是梁山泊新受招安宋江這夥。」

阿里奇聽了笑道：「既是這夥草寇，何足道哉！」傳令教番兵扎掂已了，來日出密雲縣，與宋江交鋒。次日，宋江聽報遼兵已近，即時傳令將士，交鋒要看頭勢，休要失支脫節。眾將得令，披掛上馬。宋江、盧俊義俱各戎裝擐帶，親在軍前監戰。遠遠望見遼兵蓋地而來，黑洞洞遮天蔽日，都是皂雕旗。兩下齊把弓弩射住陣腳。只見對陣皂旗開處，正中間捧出一員番將，騎著一匹達馬，彎環踢跳。宋江看那番將時，怎生打扮？但見：

戴一項三叉紫金冠，冠口內拴兩根雉尾。

穿一領襯甲白羅袍，袍背上繡三個鳳凰。
披一副連環鑌鐵鎧，繫一條嵌寶獅蠻帶，
著一對雲根鷹爪靴，掛一條護項銷金帕，
帶一張鵲畫鐵胎弓，懸一壺雕翎鈚子箭。
手撚梨花點鋼槍，坐騎銀色拳花馬。

那番官旗號上寫的分明：「大遼上將阿里奇」。宋江看了，與諸將道：「此番將不可輕敵！」言未絕，金槍手徐寧出戰。橫著鉤鐮槍，驟坐下馬，直臨陣前。番將阿里奇見了，大罵道：「宋朝合敗，命草寇為將，敢來侵犯大國，尚不知死！」徐寧喝道：「辱國小將，敢出穢言！」兩軍吶喊。

◈**郎主**—北方少數民族稱其君王為郎主。
扎掂—準備妥當。　**達馬**—蒙古馬。蒙古族又稱韃靼，韃靼又作達旦、達達。

徐寧與阿里奇搶到垓心交戰，兩馬相逢，兵器並舉。二將鬥不過三十餘合，徐寧敵不住番將，望本陣便走。花榮急取弓箭在手。那番將正趕將來，張清又早按住鞍轎，探手去錦袋內取個石子，看著番將較親，照面門上只一石子，正中阿里奇左眼，翻筋斗落於馬下。

這裡花榮、林沖、秦明、索超，四將齊出，先搶了那匹好馬，活捉了阿里奇歸陣。副將楚明玉見折了阿里奇，急要向前去救時，被宋江大隊軍馬，前後掩殺將來，就棄了密雲縣，大敗虧輸，奔檀州來。宋江且不追趕，就在密雲縣屯紮下營。看番將阿里奇時，打破眉梢，損其一目，負痛身死。宋江傳令，教把番官屍骸燒化。

功績簿上，標寫張清第一功。就將阿里奇連環鑌鐵鎧、出白梨花槍、嵌寶獅蠻帶、銀色拳花馬，並靴袍弓箭，都賜了張清。是日且就密雲縣中，眾皆作賀，設宴飲酒，不在話下。

次日，宋江升帳，傳令起軍，都離密雲縣，直抵檀州來。卻說檀州洞仙侍郎聽得報來折了一員正將，堅閉城門，不出迎敵。又聽得報有水軍戰船，在於城下，遂乃引眾番將，上城觀看。只見宋江陣中猛將，搖旗吶喊，耀武揚威，搦戰廝殺。

洞仙侍郎見了說道：「似此，怎不輸了小將軍阿里奇！」當下副將楚明玉答應道：「小將軍哪裡是輸與那廝？蠻兵先輸了，俺小將軍趕將過去，被那裡一個穿綠的蠻子，一石子打下馬去。那廝隊裡四個蠻子四條槍，便來攢住了。俺這壁廂措手不及，以此輸與他了。」

洞仙侍郎道：「那個打石子的蠻子，怎地模樣？」左右有認得的，指著說道：「城下兀那個戴青包巾，現今披著小將軍的衣甲，騎著小將軍的馬，那個便是。」

洞仙侍郎攀著女牆邊看時，只見張清已自先見了，趲馬向前，只一石子飛來，左右齊叫一聲躲時，那石子早從洞仙侍郎耳根邊擦過，把耳輪擦了一片皮。

洞仙侍郎負疼道：「這個蠻子直這般利害！」下城來，一面寫表，申奏大遼郎主，一面行報外境各州提備。

卻說宋江引兵在城下，一連打了三五日，不能取勝，再引軍馬，回密雲縣屯駐。帳中坐下，計議破城之策。只見戴宗報來，取到水軍頭領乘駕戰船，都到潞水。宋江便教李俊等到軍中商議，李俊等都到帳前參見宋江。宋江道：「今次廝殺，不比在梁山泊時，可要先探水勢深淺，方可進兵。我看這條潞水，水勢甚急，倘或一失，難以救應。爾等宜仔細，不可托大。將船隻蓋伏的好著，只扮做運糧船相似。你等頭領各帶暗器，潛伏於船內。只著三五人撐駕搖櫓，岸上著兩人牽拽，一步步挨到城下，把船泊在兩岸，待我這裡進兵。城中知道，必開水門來搶糧船。爾等伏兵卻起，奪他水門，可成大功。」李俊等聽令去了。

只見探水小校報道：「西北上有一彪軍馬捲殺而來，都打著皂雕旗，約有一萬餘人，望檀州來了。」

吳用道：「必是遼國調來救兵。我這裡先差幾將攔截廝殺，殺得散時，免令城中得他壯膽。」宋江便差張清、董平、關勝、林沖，各帶十數個小頭領、五千軍馬，飛奔前來。

原來遼國郎主聞知說是梁山泊宋江這夥好漢，領兵殺至檀州，圍了城子，特差這兩個皇姪前來救應。

一個喚做耶律國珍，一個喚做耶律國寶。兩個乃是遼國上將，又是皇姪，皆有萬夫不當之勇，引起一萬番兵，來救檀州。看看至近，迎著宋兵。兩邊擺開陣勢，兩員番將，一齊出馬。但見：

頭戴妝金嵌寶三叉紫金冠，身披錦邊珠嵌鎖子黃金鎧。
身上猩猩血染戰紅袍，袍上斑斑錦織金翅雕。
腰繫白玉帶，背插虎頭牌。
左邊袋內插雕弓，右手壺中攢硬箭。
手中搦丈二綠沉槍，坐下騎九尺銀鬃馬。

那番將是弟兄兩個，都一般打扮，都一般使槍。宋兵迎著，擺開陣勢。雙槍將董平出馬，厲聲高叫：「來者甚處番賊？」

那耶律國珍大怒，喝道：「水洼草寇，敢來犯吾大國，倒問俺哪裡來的！」董平也不再問，躍馬挺槍，直搶耶律國珍。

那番家年少的將軍性氣正剛，哪裡肯饒人一步，挺起鋼槍，直迎過來。二馬相交，三槍亂舉。二將正在征塵影裡，殺氣叢中，使雙槍的另有槍法，使單槍的各用神機。兩個鬥過五十合，不分勝敗。

那耶律國寶見哥哥戰了許多時，恐怕力怯，就中軍篩起鑼來。耶律國珍正鬥到熱處，聽得鳴鑼，急要脫身，被董平兩條槍絞住，哪裡肯放。耶律國珍此時心忙，槍法慢了些，被董平右手逼過綠沉槍，使起左手槍來，望番將項根上只一槍，搠個正著。可憐耶律國珍金冠倒卓，兩腳蹬空，落於馬下。

兄弟耶律國寶看見哥哥落馬，便搶出陣來，一騎馬一條槍，奔來救取。宋兵陣上沒羽箭張清，見他過來，這裡哪得放空，在馬上約住梨花槍，探隻手去錦袋內，拈出一個石子，把馬一拍，飛出陣前。這耶律國寶飛也似來，張清迎頭撲將去。

兩騎馬隔不得十來丈遠近，番將不提防，只道他來交戰。只見張清手起，喝聲道：「著！」那石子望耶律國寶面上打個正著，翻筋斗落馬。關勝、林沖擁兵掩殺。遼兵無主，東西亂竄。只一陣，殺散遼兵萬餘人馬，把兩個番官，全副鞍馬，兩面金牌，收拾寶冠袍甲，仍割下兩顆首級，當時奪了戰馬一千餘匹，解到密雲縣來見宋江獻納。

宋江大喜，賞勞三軍，書寫董平、張清第二功。等打破檀州，一併申奏。

宋江與吳用商議，到晚寫下軍帖，差調林沖、關勝引領一彪軍馬，從西北上去取檀州；再調呼延灼、董平也引一彪軍馬，從東北上進兵；卻教盧俊義引一彪軍馬，從西南上取路。

◆倒卓——倒立、倒豎。

「我等中軍，從東南路上去，只聽得炮響，一齊進發。」卻差炮手凌振、黑旋風李逵、混世魔王樊瑞、喪門神鮑旭並牌手項充、李衮，將帶滾牌軍一千餘人，直去城下，施放號炮。至二更為期，水陸並進，各路軍兵，都要廝應。號令已了，諸軍個個準備取城。

且說洞仙侍郎正在檀州堅守，專望救兵到來。卻有皇姪敗殘人馬逃命奔入城中，備細告說兩個皇姪大王，耶律國珍被個使雙槍的害了，耶律國寶被個戴青包巾的使石子打下馬來拿去。洞仙侍郎跌腳罵道：「又是這蠻子！不爭損了二位皇姪，教俺有甚面目去見郎主？拿住那個青包巾的蠻子時，碎碎的割那廝！」至晚，番兵報洞仙侍郎道：「潞水河內，有五七百隻糧船泊在兩岸，遠遠處又有軍馬來也！」洞仙侍郎聽了道：「那蠻子不識俺的水路，錯把糧船直行到這裡。岸上人馬，一定是來尋糧船。」

便差三員番將楚明玉、曹明濟、咬兒惟康前來吩咐道：「那宋江等蠻子今晚又調許多人馬來，卻有若干糧船在俺河裡。可教咬兒惟康引一千軍馬出城衝突，卻教楚明玉、曹明濟開放水門，從緊溜裡放船出去。三停之內，截他二停糧船，便是汝等幹大功也！」不知成敗何如，有詩為證：

妙算從來迥不同，檀州城下列艨艟。
侍郎不識兵家意，反自開門把路通。

再說宋江人馬，當晚黃昏左側李逵、樊瑞為首，將引步軍在城下大罵。洞仙侍郎叫咬兒惟康催趲軍馬，出城衝殺。城門開處，放下吊橋，遼兵出城。卻說李逵、樊瑞、鮑旭、項充、李袞五個好漢引一千步軍，盡是悍勇刀牌手，就吊橋邊衝住，番軍人馬，哪裡能夠出得城來。

◆滾牌軍——執盾牌作戰的步兵。

凌振卻在軍中搭起炮架，準備放炮，只等時候來到。由他城上放箭，自有牌手左右遮抵著，鮑旭卻在後面吶喊。雖是一千餘人，卻是萬餘人的氣象。洞仙侍郎在城中見軍馬衝突不出，急叫楚明玉、曹明濟開了水門搶船。此時宋江水軍頭領都已先自伏在船中準備，未曾動彈。見他水門開了，一片片絞起閘板，放出戰船來。

凌振得了消息，便先點起一個風火炮來。炮聲響處，兩邊戰船廝迎將來，抵敵番船。左邊湧出李俊、張橫、張順、右邊湧出阮家三弟兄，都使著戰船，殺入番船隊裡。番將楚明玉、曹明濟見戰船踴躍而來，抵敵不住，料道有埋伏軍兵，急待要回船，早被這裡水手軍兵都跳過船來，只得上岸而走。宋江水軍那六個頭領，先搶了水門。管門番將，殺的殺了，走的走了。

這楚明玉、曹明濟各自逃命去了。水門上預先一把火起，凌振又放一個車箱炮來。那炮直飛在半天裡響。

洞仙侍郎聽得火炮連天聲響，嚇得魂不附體。李逵、樊瑞、鮑旭引領牌手項充、李袞等眾直殺入城。洞仙侍郎和咬兒惟康在城中，看見城門已都被奪了，又見四路宋兵一齊都殺到來，只得上馬，棄了城池，出北門便走。

未及二里，正撞著大刀關勝、豹子頭林沖攔住去路。正是：

天羅密布難移步，地網高張怎脫身。

畢竟洞仙侍郎怎的逃生？且聽下回分解。

第八四回

宋公明兵打薊州城
盧俊義大戰玉田縣

話說洞仙侍郎見檀州已失，只得奔走出城，同咬兒惟康擁護而行。正撞著林沖、關勝，大殺一陣，哪裡有心戀戰？望刺斜裡死命撞出去。關勝、林沖要搶城子，也不來追趕，且奔入城。

卻說宋江引大隊軍馬入檀州，趕散番軍，一面出榜安撫百姓軍民，秋毫不許有犯，傳令教把戰船盡數收入城中。一面賞勞三軍，及將在城遼國所用官員，有姓者仍前委用，無姓番官盡行發遣出城，還於沙漠。一面寫表申奏朝廷，得了檀州。盡將府庫財帛金寶，解赴京師。寫書申呈宿太尉，題奏此事。天子聞奏，龍顏大喜，隨即降旨，欽差東京府同知趙安撫，統領二萬御營軍馬，前來監戰。

卻說宋江等聽得報來，引眾將出郭遠遠迎接，入到檀州府內歇下，權為行軍帥府。諸將頭目，盡來參見，施禮已畢。原來這趙安撫，祖是趙家宗派，為人寬仁厚德，作事端方，亦是宿太尉於天子前保奏，特差此人上邊，監督兵馬。

這趙安撫見了宋江仁德，十分歡喜，說道：「聖上已知你等眾將用心，軍士勞苦，特差下官前來軍前監督，就齎賞賜金銀緞疋二十五車，但有奇功，申奏朝廷，請降官封。將軍今已得了州郡，下官再當申達朝廷。眾將皆須盡忠竭力，早成大功，班師回京，天子必當重用。」

宋江等拜謝道：「請煩安撫相公，鎮守檀州，小將等分兵攻取遼國緊要州郡，教他首尾不能相顧。」一面將賞賜俵散軍將，一面勒回各路軍馬聽調，攻取遼國州郡。

有楊雄稟道：「前面便是薊州相近。此處是個大郡，錢糧極廣，米麥豐盈，乃是遼國庫藏。打了薊州，諸處可取。」宋江聽罷，便請軍師吳用商議。

卻說洞仙侍郎與咬兒惟康正往東走，撞見楚明玉、曹明濟引著些敗殘軍馬，一同投奔薊州。入得城來，見了御弟大王耶律得重，訴說：「宋江兵將浩大，內有一個使石子的蠻子，十分了得。那廝石子百發百中，不放一個空，最會打人。兩位皇姪並小將阿里奇，盡是被他石子打死了。」

耶律大王道：「既是這般，你且在這裡幫俺殺那蠻子。」

說猶未了，只見流星探馬報將來，說道：「宋江兵分兩路來打薊州，一路殺至平峪縣，一路殺至玉田縣。」

御弟大王聽了，隨即便教洞仙侍郎：「將引本部軍馬，把住平峪縣口，不要和他廝殺。俺先引兵，且拿了玉田縣的蠻子，卻從背後抄將過來，平峪縣的蠻子走往哪裡去？」一邊關報霸州、幽州，教兩路軍馬，前來接應。

原來這薊州，卻是遼國郎主差御弟耶律得重守把，部領四個孩兒：長子宗雲，次子宗電，三子宗雷，四子宗霖。手下十數員戰將，一個總兵大將，喚做寶密聖，一個副總兵，喚做天山勇，守住著薊州城池。當時御弟大王囑咐寶密聖守城，親引大軍，將帶四個孩兒並副總兵天山勇，飛奔玉田縣來。

且說宋江引兵前至平峪縣，見前面把住關隘，未敢進兵，就平峪縣西屯駐。卻說盧俊義引許多戰將，三萬人馬，前到玉田縣，早與遼兵相近。盧俊義便與軍師朱武商議道：「目今與遼兵相近，只是吳人不識越境，到他地理生疏，何策可取？」朱武答道：「若論愚意，未知他地理，諸軍不可擅進。可將隊伍擺為長蛇之勢，首尾相應，循環無端，如此則不愁地理生疏。」盧先鋒道：「軍師所言，正合吾意。」遂乃催兵前進。遠遠望見遼兵蓋地而來，但見：

黃沙漫漫連，黑霧濃濃至。
皂雕旗◆展一派烏雲，拐子馬◆蕩半天殺氣。
青氈笠帽，似千池荷葉弄輕風；
鐵打兜鍪，如萬頃海洋凝凍日。
人人衣襟左掩，個個髮搭齊肩。
連環鐵鎧重披，刺納戰袍緊繫。
番軍壯健，黑面皮碧眼黃鬚；
達馬咆哮，闊膀膊鋼腰鐵腳。
羊角弓攢沙柳箭，虎皮袍襯窄雕鞍。
生居邊塞，長成會拽硬弓；世本朔方◆，養大能騎劣馬。
銅羫羯鼓軍前打，蘆葉胡笳馬上吹。

那御弟大王耶律得重引兵先到玉田縣，將軍馬擺開陣勢。宋軍中朱武上雲梯看了，下來回報盧先鋒道：「番人布的陣，乃是五虎靠山陣，不足為奇。」朱武再上將臺，把號旗招動，左盤右旋，調撥眾軍，也擺一個陣勢。盧俊義看了不識，問道：「此是何陣勢？」

朱武道：「此乃是『鯤化為鵬陣』。」盧俊義道：「何為『鯤化為鵬』？」

朱武道：「北海有魚，其名曰鯤，能化大鵬，一飛九萬里。此陣遠觀近看，只是個小陣，若來攻時，便變做大陣，因此喚做『鯤化為鵬』。」

盧俊義聽了，稱讚不已。對陣敵軍鼓響，門旗開處，那御弟大王親自出馬，四個孩兒分在左右，都是一般披掛。但見：

頭戴鐵縵笠戧箭番盔，上拴純黑毬纓；

身襯寶圓鏡柳葉細甲，繫條獅蠻金帶。

踏鐙靴半彎鷹嘴，梨花袍錦繡盤龍。

各掛強弓硬弩，都騎駿馬雕鞍。

腰間盡插錕鋙劍，手內齊拿掃帚刀。

◈皂雕旗—一種有黑雕圖案的軍旗。　朔方—北方。

拐子馬—拐子馬亦稱拐子陣或拐子馬陣，是北宋的騎兵編制，拐子是左翼與右翼的意思。

中間御弟大王，兩邊左右四個小將軍，身上兩肩胛都懸著小小明鏡，鏡邊對嵌著皂纓。四口寶刀，四騎快馬，齊齊擺在陣前。那御弟大王背後又是層層擺列，自有許多戰將。

那四員小將軍高聲大叫：「汝等草賊，何敢犯吾邊界！」盧俊義聽得，便問道：「兩軍臨敵，哪個英雄當先出戰？」說猶未了，只見大刀關勝舞起青龍偃月刀，爭先出馬。

那邊番將耶律宗雲舞刀拍馬來迎關勝。兩個鬥不上五合，耶律宗霖拍馬舞刀，便來協助。呼延灼見了，舉起雙鞭，直出迎住廝殺。那兩個耶律宗電、耶律宗雷弟兄挺刀躍馬，齊出交戰；這裡徐寧、索超各舉兵器相迎。四對兒在陣前廝殺，絞做一團，打做一塊。

正鬥之間，沒羽箭張清看見，悄悄的縱馬趲向陣前。卻有檀州敗殘的軍士認得張清，慌忙報知御弟大王道：「這對陣穿綠戰袍的蠻子，便是慣飛石子的。他如今趲馬出陣來，又使前番手段。」

天山勇聽了便道：「大王放心，教這蠻子吃俺一弩箭！」

原來那天山勇，馬上慣使漆抹弩，一尺來長鐵翎箭，有名喚做「一點油」。那天山勇在馬上把了事環帶住，趲馬出陣，教兩個副將在前面影射著，三騎馬悄悄直趲至陣前，張清又先見了，偷取石子在手，看著那番官當頭的，只一石子，急叫：「著！」早從盔上擦過。

那天山勇卻閃在這將馬背後，安得箭穩，扣得弦正，覷著張清較親，直射將來。張清叫聲：「啊也！」急躲時，射中咽喉，翻身落馬。雙槍將董平、九紋龍史進將引解珍、解寶，死命去救回。盧先鋒看了，急教拔出箭來，血流不止，項上便束縛兜住。隨即叫鄒淵、鄒潤扶張清上車子，護送回檀州，教神醫安道全調治。

車子卻才去了，只見陣前喊聲又起，報道：「西北上有一彪軍馬，飛奔殺來，並不打話，橫衝直撞，趕入陣中。」盧俊義見箭射了張清，無心戀戰，四將各佯輸詐敗，退回本陣。四個番將乘勢趕來，西北上來的番軍，刺斜裡又殺將來，對陣的大隊番軍，山倒也似踴躍將來，哪裡變得陣法？三軍眾將隔得七斷八續，你我不能相救，只留盧俊義一騎馬一條槍，倒殺過那邊去了。天色傍晚，四個小將軍卻好回來，正迎著。

盧俊義一騎馬，一條槍，力敵四個番將，並無半點懼怯。約鬥了一個時辰，盧俊義得便處，賣個破綻，耶律宗霖把刀砍將入來，被盧俊義大喝一聲，那番將措手不及，著一槍刺下馬去。

那三個小將軍，各吃了一驚，皆有懼色，無心戀戰，拍馬去了。盧俊義下馬，拔刀割了耶律宗霖首級，拴在馬項下。翻身上馬，望南而行，又撞見一夥遼兵，約有一千餘人，被盧俊義又撞殺入去，遼兵四散奔走。

再行不到數里，又撞見一彪軍馬。此夜月黑，不辨是何處的人馬，只聽得語音，卻是宋朝人說話。

盧俊義便問：「來軍是誰？」卻是呼延灼答應。

盧俊義大喜，合兵一處。呼延灼道：「被遼兵衝散，不能救應。小將撞開陣勢，和韓滔、彭玘直殺到此。不知諸將如何？」

盧俊義又說：「力敵四將，被我殺了一個，三個走了。次後又撞著一千餘人，亦被我殺散。來到這裡，不想迎著將軍。」

兩個並馬，帶著從人，望南而行。不過十數里路，前面早有軍馬攔路。呼延灼道：「黑夜怎地廝殺，待天明決一死戰！」

對陣聽得，便問道：「來者莫非呼延灼將軍？」呼延灼認得聲音是大刀關勝，便叫道：「盧頭領在此！」眾頭領都下馬，且來草地上坐下。盧俊義、呼延灼說了本身之事。

關勝道：「陣前失利，你我不相救應。我和宣贊、郝思文、單廷珪、魏定國五騎馬尋條路走，然後收拾得軍兵一千餘人。來到這裡。不識地理，只在此伏路，待天明卻行，不想撞著哥哥。」合兵一處。眾人捱到天曉，迤邐望南再行。

將次到玉田縣，見一彪人馬哨路。看時，卻是雙槍將董平、金槍手徐寧弟兄們，都紮駐玉田縣中，遼兵盡行趕散，說道：「侯健、白勝兩個去報宋公明，只不見了解珍、解寶、楊林、石勇。」

盧俊義教且進兵，在玉田縣界，檢點眾將軍校，不見了五千餘人。心中煩惱。巳牌時分，有人報道：「解珍、解寶、楊林、石勇將領二千餘人來了。」盧俊義又喚來問時，解珍道：「俺四個倒撞過去了！深入重地，迷蹤失路，急切不敢回轉。今早又撞見遼兵，大殺了一場，方才到得這裡。」盧俊義叫將耶律宗霖首級，於玉田縣號令，撫諭三軍百姓。

未到黃昏前後，軍士們正要收拾安歇，只見伏路小校來報道：「遼兵不知多少，四面把縣圍了！」盧俊義聽得大驚，引了燕青上城看時，遠近火把，有十里厚薄。一個小將軍當先指點，正是耶律宗雲，騎著一匹劣馬，在火把中間催趲三軍。

燕青道：「昨日張清中他一冷箭，今日回禮則個！」燕青取出弩子，一箭射去，正中番將鼻凹，番將落馬。眾兵急救時，宗雲已自傷悶不醒。番軍早退五里。盧俊義縣中與眾將商議：「雖然放了一冷箭，遼兵稍退，天明必來攻圍，裹得鐵桶相似，怎生救解？」

朱武道：「宋公明若得知這個消息，必然來救。裡應外合，方可免難。」眾人捱到天明，望見遼兵四面擺得無縫。只見東南上塵土起，兵馬數萬人而來，眾將皆望南兵。朱武道：「此必是宋公明軍馬到了！等他收軍，齊望南殺去，這裡盡數起兵，隨後一掩。」

且說對陣遼兵，從辰時直圍到未牌，正待困倦，卻被宋江軍馬殺來，抵擋不住，盡數收拾都去。朱武道：「不就這裡追趕，更待何時！」盧俊義當即傳令，開縣四門，盡領軍馬，出城追殺。遼兵大敗，殺得星落雲散，七斷八續。遼兵四散敗走。

宋江趕得遼兵去遠，到天明鳴金收軍，進玉田縣。盧先鋒合兵一處，訴說攻打薊州。留下柴進、李應、李俊、張橫、張順、阮家三弟兄、王矮虎、一丈青、孫新、顧大嫂、張青、孫二娘、裴宣、蕭讓、宋清、樂和、安道全、皇甫端、童威、童猛、王定六，都隨趙樞密在檀州守禦。

其餘諸將，分作左右二軍。宋先鋒總領左軍人馬四十八員：軍師吳用、公孫勝、林沖、花榮、秦明、黃信、朱仝、雷橫、劉唐、李逵、魯智深、武松、楊雄、石秀、孫新、孫立、歐鵬、鄧飛、呂方、郭盛、樊瑞、鮑旭、項充、李袞、穆弘、穆春、孔明、孔亮、燕順、馬麟、施恩、薛永、宋萬、杜遷、朱貴、朱富、凌振、湯隆、蔡福、蔡慶、戴宗、蔣敬、金大堅、段景住、時遷、郁保四、孟康。

盧先鋒總領右軍人馬三十七員：軍師朱武、關勝、呼延灼、董平、張清、索超、徐寧、燕青、史進、解珍、解寶、韓滔、彭玘、宣贊、郝思文、單廷珪、魏定國、陳達、楊春、李忠、周通、陶宗旺、鄭天壽、龔旺、丁得孫、鄒淵、鄒潤、李立、李雲、焦挺、石勇、侯健、杜興、曹正、楊林、白勝。分兵已罷，作兩路來取薊州。宋先鋒引軍取平峪縣進發，盧俊義引兵取玉田縣進發。趙安撫與二十三將，鎮守檀州，不在話下。

且說宋江見軍士連日辛苦，且教暫歇。攻打薊州，自有計較了。

先使人往檀州，問張清箭瘡如何。神醫安道全使人回話道：「雖然外損皮肉，卻不傷內，請主將放心。調理得膿水乾時，自然無事。即目炎天，軍士多病，已稟過趙樞密相公，遣蕭讓、宋清前往東京收買藥餌，就向太醫院關支暑藥。皇甫端亦要關給官局內啖馬的藥材物料，都委蕭讓、宋清去了。就報先鋒知道。」

宋江聽得，心中頗喜，再與盧先鋒計較，先打薊州。宋江道：「我未知你在玉田縣受圍時，已自先商量下計了。有公孫勝原是薊州人，楊雄亦曾在那府裡做節級，石秀、時遷亦在那裡住得久遠。前日殺退遼兵，我教時遷、石秀也只做敗殘軍馬雜在裡面，必然都投薊州城內駐紮。他兩個若入得城中，自有去處。

「時遷曾獻計道：『薊州城有一座大寺，喚叫寶嚴寺，廊下有法輪寶藏，中間是大雄寶殿，前有一座寶塔，直聳雲霄。』

「石秀說道：『教他去寶塔頂上躲著，每日飯食，我自對付來與他吃。

只等城外哥哥軍馬攻打得緊急時，然後卻就寶嚴寺塔上放起火來為號。』「時遷自是個慣飛簷走壁的人，哪裡不躲了身子？石秀臨期自去州衙內放火，他兩個商量已定自去了。我這裡一面收拾進兵。」有《西江月》為證：

山後遼兵侵境，中原宋帝興軍。
水鄉取出眾天星，奉詔去邪歸正。
暗地時遷放火，更兼石秀同行。
等閒打破永平城，千載功勳可敬！

次日，宋江引兵，撇了平峪縣，與盧俊義合兵一處，催起軍馬，逕奔薊州來。

且說御弟大王自折了兩個孩兒，不勝懊恨，便同大將寶密聖、天山勇、洞仙侍郎等商議道：「前次涿州、霸州兩路救兵，各自分散前去。如今宋江合兵在玉田縣，早晚進兵來打薊州，似此怎生奈何？」

大將寶密聖道：「宋江兵若不來，萬事皆休；若是那夥蠻子來時，小將自出去與他相敵。若不活拿他幾個，這廝們哪裡肯退？」

洞仙侍郎道：「那蠻子隊有那個穿綠袍的，慣使石子，好生利害，可以提防他。」

天山勇道：「這個蠻子，已被俺一弩箭射中咽喉，多是死了也！」

洞仙侍郎道：「除了這個蠻子，別的都不打緊。」

正商議間，小校來報，宋江軍馬殺奔薊州來。御弟大王連忙整點三軍人馬，教寶密聖、天山勇火速出城迎敵。離城三十里外，與宋江對敵。各自擺開陣勢，番將寶密聖橫槊出馬

宋江在陣前見了，便問道：「斬將奪旗，乃見頭功！」說猶未了，只見豹子頭林沖便出陣前來，與番將寶密聖大戰。

兩個鬥了三十餘合，不分勝敗。林沖要建頭功，持丈八蛇矛，鬥到間深裡，暴雷也似大叫一聲，撥過長槍，用蛇矛去寶密聖脖項上刺中一矛，搠下馬去。宋江大喜。兩軍發喊。番將天山勇見刺了寶密聖，橫槍便出。宋

江陣裡，徐寧挺鈎鐮槍直迎將來。

二馬相交，鬥不到二十來合，被徐寧手起一槍，把天山勇搠於馬下。宋江見連贏了二將，心中大喜，催軍混戰，遼兵大敗，望薊州奔走。宋江軍馬趕了十數里，收兵回來。

當日宋江紮下營寨，賞勞三軍。次日傳令，拔寨都起，直抵薊州。第三日，御弟大王見折了二員大將，十分驚慌，又見報道：「宋軍到了！」忙與洞仙侍郎道：「你可引這支軍馬出城迎敵，替俺分憂也好。」洞仙侍郎不敢不依，只得引了咬兒惟康、楚明玉、曹明濟，領起一千軍馬，就城下擺開。宋江軍馬漸近城邊，雁翅般排將來。門旗開處，索超橫擔大斧，出馬陣前。番兵隊裡，咬兒惟康便搶出陣來。兩個並不打話，二將相交，鬥到二十餘合。番將終是膽怯，無心戀戰，只得要走。

索超縱馬趕上，雙手掄起大斧，覷著番將腦門上劈將下來，把這咬兒惟康腦袋劈做兩半個。洞仙侍郎見了，慌忙叫楚明玉、曹明濟快去策應。這兩個已自八分膽怯，因吃逼不過，只得挺起手中槍，向前出陣。

宋江軍中九紋龍史進見番軍中二將雙出，便舞刀拍馬，直取二將。史進逞起英雄，手起刀落，先將楚明玉砍於馬下。這曹明濟急待要走，史進趕上一刀，也砍於馬下。史進縱馬殺入遼軍陣內，宋江見了，鞭梢一指，驅兵大進，直殺到吊橋邊。耶律得重見了，越添愁悶，便教緊閉城門，各將上城緊守；一面申奏郎主，一面差人往霸州、幽州求救。

且說宋江與吳用計議道：「似此城中緊守，如何擺布？」吳用道：「既城中已有石秀、時遷在裡面，如何耽擱得長遠？教四面豎起雲梯炮架，即便攻城。再教凌振將火炮四下裡施放，打將入去。攻擊得緊，其城必破。」

宋江即便傳令，四面連夜攻城。再說御弟大王見宋兵四下裡攻擊得緊，盡驅薊州在城百姓上城守護。當下石秀在城中寶嚴寺內，守了多日，不見動靜。只見時遷來報道：「城外哥哥軍馬，打得城子緊。我們不就這裡放火，更待何時？」石秀見說了，便和時遷商議，先從寶塔上放起一把火來，然後去佛殿上燒著。

時遷道：「你快去州衙內放火。在南門要緊的去處，火著起來，外面見了，定然加力攻城，愁他不破！」兩個商量了，都自有引火的藥頭、火刀、火石、火筒、煙煤藏在身邊。當日晚來，宋江軍馬打城甚緊。

卻說時遷，他是個飛簷走壁的人，跳牆越城，如登平地。當時先去寶嚴寺塔上點起一把火來。那寶塔最高，火起時，城裡城外，哪裡不看見火，光照得三十餘里遠近，似火鑽一般。然後卻來佛殿上放火。

那兩把火起，城中鼎沸起來。百姓人民，家家老幼慌忙，戶戶兒啼女哭，大小逃生。石秀直爬去薊州衙門庭屋上博風板◆裡，點起火來。薊州城中，見三處火起，知有細作，百姓哪裡有心守護城池，已都阻擋不住，各自逃歸看家。沒多時，山門裡又一把火起，卻是時遷出寶嚴寺來，又放了一把火。

那御弟大王見了城中無半個更次，四五路火起，知宋江有人在城裡。慌慌急急，收拾軍馬，帶了老小並兩個孩兒，裝載上車，開了北門便走。宋江見城中軍馬慌亂，催促軍兵捲殺入城。城裡城外，喊殺連天，早奪了南門。洞仙侍郎見寡不敵眾，只得跟隨御弟大王投北門而走。

宋江引大隊軍馬入薊州城來，便傳下將令，先教救滅了四邊風火。

天明出榜，安撫薊州百姓。將三軍人馬，盡數收入薊州屯駐，賞勞三軍諸將。功績簿上，標寫石秀、時遷功次。便行文書，申覆趙安撫知道得了薊州大郡，請相公前來駐紮。

趙安撫回文書來說道：「我在檀州，權且屯紮，教宋先鋒且守住薊州。即日炎暑，天氣暄熱，未可動兵。待到天氣微涼，再作計議。」

宋江得了回文，便教盧俊義分領原撥軍將，於玉田縣屯紮，其餘大隊軍兵守住薊州。待到天氣微涼，別行聽調。

◈博風板—又稱博縫板、封山板，用於中國古代的歇山頂和懸山頂建築。

卻說御弟大王耶律得重與洞仙侍郎將帶老小，奔回幽州，直至燕京，來見大遼郎主。且說遼國郎主，升坐金殿，聚集文武兩班臣僚，朝參已畢。有閤門大使奏道：「薊州御弟大王回至門下。」郎主聞奏，忙教宣召，宣至殿下。那耶律得重與洞仙侍郎俯伏御階之下，放聲大哭。

郎主道：「俺的愛弟，且休煩惱，有甚事務，當以盡情奏知寡人。」

那耶律得重奏道：「宋朝童子皇帝，差調宋江領兵前來征討，軍馬勢大，難以抵敵。送了臣的兩個孩兒，殺了檀州四員大將。宋軍席捲而來，又失陷了薊州。特來殿前請死！」

大遼國主聽了，傳聖旨道：「卿且起來，俺的這裡好生商議。」

郎主道：「引兵的那蠻子是甚人？這等嘍囉！」

班部中右丞相太師褚堅出班奏道：「臣聞宋江這夥，原是梁山泊水滸寨草寇，卻不肯殺害良民，專一替天行道，只殺濫官汙吏，詐害百姓的人。後來童貫、高俅引兵前去收捕，被宋江只五陣，殺得片甲不回。他這夥好漢，剿捕他不得。

「童子皇帝遣使三番降詔去招安，他後來都投降了，只把宋江封為先鋒使，又不曾實授官職，其餘都是白身人◆。今日差將他來，便和俺們廝殺。他道有一百八人，應天上星宿。這夥人好生了得，郎主休要小覷了他！」郎主道：「你這等話說時，恁地怎生是好？」班部叢中轉出一員官，乃是歐陽侍郎，襴袍拂地，象簡當胸，奏道：「郎主萬歲！臣雖不才，願獻小計，可退宋兵。」郎主大喜道：「你既有好的見識，當下便說。」歐陽侍郎言無數句，話不一席，有分教：宋江名標青史，事載丹書。正是：

護國謀成欺呂望，順天功就賽張良。

畢竟歐陽侍郎奏出甚事來？且聽下回分解。

◆白身人——指沒有官職名目的人。

第八五回

宋公明夜度益津關
吳學究智取文安縣

話說當下歐陽侍郎奏道：「宋江這夥都是梁山泊英雄好漢，如今宋朝童子皇帝，被蔡京、童貫、高俅、楊戩四個賊臣弄權，嫉賢妒能，閉塞賢路，非親不進，非財不用，久後如何容得他們！

「論臣愚意，郎主可加官爵，重賜金帛，多賞輕裘肥馬，臣願為使臣，說他來降俺大遼國。郎主若得這夥軍馬來，覷中原如同反掌。臣不敢自專，乞郎主聖鑒不錯。」

郎主聽罷，便道：「你也說得是。你就為使臣，將帶一百八騎好馬、一百八疋好緞子、俺的敕命一道，封宋江為鎮國大將軍，總領遼兵大元帥，賜與金一提、銀一秤，權當信物。教把眾頭目的姓名，都抄將來，盡數封他官爵。」

只見班部中兀顏都統軍出來啟奏郎主道：「宋江這一夥草賊，招安他做甚？放著奴婢手下，有二十八宿將軍、十一曜大將，有的是強兵猛將，怕不贏他？若是這夥蠻子不退呵，奴婢親自引兵去剿殺這廝！」國主道：「你便是了得好漢，如插翅大蟲，再添得這夥呵，你又加生兩翅。你且休得阻擋。」

遼主不聽兀顏之言，再有誰敢多言？原來這兀顏光都統軍，正是遼國第一員上將，十八般武藝，無有不通，兵書戰策，盡皆熟嫻。年方三十五、六，堂堂一表，凜凜一軀，八尺有餘身材，面白唇紅，鬚黃眼碧，威儀猛勇。上陣時，仗條渾鐵點鋼槍，殺到濃處，不時掣出腰間鐵簡，使得錚錚有聲，端的是有萬夫不當之勇。

且不說兀顏統軍諫奏，卻說那歐陽侍郎領了遼國敕旨，將了許多禮物馬匹，上了馬，逕投薊州來。宋江正在薊州作養軍士，聽得遼國有使命至，未審來意吉凶，遂取玄女之課，當下一卜，卜得個上上之兆。

便與吳用商議道：「卦中上上之兆，多是遼國來招安我們，似此如之奈何？」

吳用道：「若是如此時，正可將計就計，受了他招安。將此薊州與盧先鋒管了，卻取他霸州。若更得了他霸州，不愁他遼國不破。即今取了他檀州，先去遼國一隻左手。此事容易，只是放些先難後易，令他不疑。」

且說那歐陽侍郎已到城下，宋江傳令，教開城門，放他進來。歐陽侍郎入到城中，至州衙前下馬，直到廳上。敘禮罷，分賓主而坐。

宋江便問：「侍郎來意何幹？」

歐陽侍郎道：「有件小事，上達鈞聽，乞屏左右。」宋江遂將左右喝退，請進後堂深處說話。

歐陽侍郎至後堂，欠身與宋江道：「俺大遼國，久聞將軍大名，爭奈山遙水遠，無由拜見威顏。又聞將軍在梁山大寨，替天行道，眾弟兄同心協力。今日宋朝奸臣們閉塞賢路，有金帛投於門下者，便得高官重用；無賄賂投於門下者，縱有大功於國，空被沉埋，不得升賞。如此奸黨弄權，讒佞僥倖，嫉賢妒能，賞罰不明，以致天下大亂。

「江南、兩浙、山東、河北，盜賊並起，草寇猖狂，良民受其塗炭，不得聊生。今將軍統十萬精兵，赤心歸順，只得先鋒之職，又無升受品爵。眾弟兄劬勞報國，俱各白身之士，遂命引兵直抵沙漠，受此勞苦，與國建功，朝廷又無恩賜。此皆奸臣之計。

「若沿途擄掠金珠寶貝，令人餽送浸潤◈與蔡京、童貫、高俅、楊戩四個賊臣，可保官爵，恩命立至。若還不肯如此行事，將軍縱使赤心報國，建大功勳，回到朝廷，反坐罪犯。歐某今奉大遼國主，特遣小官齎敕命一

◈浸潤──討好。

道，封將軍為遼邦鎮國大將軍，總領兵馬大元帥。
「贈金一提、銀一秤，綵緞一百八疋，名馬一百八騎。便要抄錄一百八位頭領姓名赴國，照名欽授官爵。非來誘說將軍，此是國主久聞將軍盛德，特遣歐某前來，預請將軍眾將，同意協心，輔助本國。」

宋江聽罷，便答道：「侍郎言之極是。爭奈宋江出身微賤，鄆城小吏，犯罪在逃，權居梁山水泊，避難逃災。宋天子三番降詔，赦罪招安，雖然官小職微，亦未曾立得功績，以報朝廷赦罪之恩。今蒙郎主賜我以厚爵，贈之以重賞，然雖如此，未敢拜受，請侍郎且回。即今溽暑炎熱，權令軍馬停歇，暫且借國主這兩個城子屯兵守待，早晚秋涼，再作商議。」

歐陽侍郎道：「將軍不棄，權且受下遼王金帛、綵緞、鞍馬。俺回去，慢慢地再來說話，未為晚矣！」

宋江道：「侍郎不知我等一百八人，耳目最多，倘或走透消息，先惹其禍。」

歐陽侍郎道：「兵權執掌，盡在將軍手內，誰敢不從？」

宋江道：「侍郎不知就裡。我等弟兄中間，多有性直剛勇之士。等我調和端正，眾所同心，卻慢慢地回話，亦未為遲。」有詩為證：

金帛重馱出薊州，薰風回首不勝羞。

遼王若問歸降事，雲在青山月在樓◈。

於是令備酒餚相待，送歐陽侍郎出城上馬去了。宋江卻請軍師吳用商議道：「適來遼國侍郎這一席話如何？」吳用聽了，長嘆一聲，低首不語，肚裡沉吟。

宋江便問道：「軍師何故嘆氣？」

吳用答道：「我尋思起來，只是兄長以忠義為主，小弟不敢多言。我想歐陽侍郎所說這一席話，端的是有理。目今宋朝天子，至聖至明，果被蔡京、童貫、高俅、楊戩四個奸臣專權，主上聽信。設使日後縱有成功，必

◈雲在青山月在樓—指遙不可及的事。

無升賞。我等三番招安，兄長為尊，只得個先鋒虛職。若論我小子愚意，棄宋從遼，豈不為勝？只是負了兄長忠義之心！」

宋江聽罷，便道：「軍師差矣！若從遼國，此事切不可提。縱使宋朝負我，我忠心不負宋朝，久後縱無功賞，也得青史上留名。若背正順逆，天不容恕，吾輩當盡忠報國，死而後已！」

吳用道：「若是兄長存忠義於心，只就這條計上，可以取他霸州。目今盛暑炎天，且當暫停，將養軍馬。」宋江、吳用計議已定，且不與眾人說。同眾將屯駐薊州，待過暑熱。

次日，與公孫勝在中軍閒話，宋江問道：「久聞先生師父羅真人，乃盛世之高士。前番因打高唐州，要破高廉邪法，背地使戴宗、李逵來尋足下，說：『尊師羅真人，術法靈驗。』敢煩賢弟來日引宋江去法座前，焚香參拜，一洗塵俗。未知尊意如何？」

公孫勝便道：「貧道亦欲歸望老母，參省本師，為見兄長連日屯兵未定，不敢開言。今日正欲要稟仁兄，不想兄長要去。來日清晨，同往參禮本師，貧道就行省視老母。」

次日，宋江暫委軍師掌管軍馬，收拾了名香淨果，金珠綵緞，將帶花榮、戴宗、呂方、郭盛、燕順、馬麟六個頭領。宋江與公孫勝共八騎馬，帶領五千步卒，取路投九宮縣二仙山來。宋江等在馬上，離了薊州，來到山峰深處，但見青松滿徑，涼氣翛翛◈，炎暑全無，端的好座佳麗之山。公孫勝在馬上道：「有名喚做呼魚鼻山。」宋江看那山時，但見：

四圍巉嵲◈，八面玲瓏。

重重曉色映晴霞，瀝瀝琴聲飛瀑布。

溪澗中漱玉飛瓊，石壁上堆藍疊翠。

白雲洞口，紫藤高掛綠蘿垂；碧玉峰前，丹桂懸崖青蔓裊。

◈翛翛──形容清涼。翛音修。　巉嵲──山的高處。嵲音孽。

引子蒼猿獻果，呼群麋鹿銜花。
千峰競秀，夜深白鶴聽仙經；
萬壑爭流，風暖幽禽相對語。
地僻紅塵飛不到，山深車馬幾曾來。

當下公孫勝同宋江直至紫虛觀前，眾人下馬，整頓衣巾；小校托著信香禮物，逕到觀裡鶴軒前面。觀裡道眾，見了公孫勝，俱各向前施禮，同來見宋江，亦施禮罷。

公孫勝便問：「吾師何在？」

道眾道：「師父近日只在後面退居◆靜坐，少曾到觀。」

公孫勝聽了，便和宋公明逕投後山退居內來。轉進觀後，崎嶇徑路，曲折階衢。行不到一里之間，但見荊棘為籬，外面都是青松翠柏，籬內盡是瑤草琪花，中有三間雪洞，羅真人在內端坐誦經。童子知有客來，開門相接。

公孫勝先進草庵鶴軒前，禮拜本師已畢，便稟道：「弟子舊友山東宋公明，受了招安，今奉敕命，封先鋒之職，統兵來破遼虜。今到薊州，特地要來參禮我師，現在此間。」羅真人見說，便教請進。

宋江進得草庵，羅真人降階◈迎接。宋江再三懇請羅真人坐受拜禮。羅真人道：「將軍國家上將，貧道乃山野村夫，何敢當此？」宋江堅意謙讓，要禮拜他。羅真人方才肯坐。宋江先取信香爐中焚爇◈，參禮了八拜，便呼花榮等六個頭領，俱各禮拜已了。羅真人都教請坐，命童子烹茶獻果已罷。

羅真人乃曰：「將軍上應星魁，外合列曜，一同替天行道，今則歸順宋朝，此清名萬載不磨矣！」

宋江道：「江乃鄆城小吏，逃罪上山，感謝四方豪傑，望風而來。同聲

◈退居—休息閒坐的地方。　降階—走下臺階。　焚爇—焚燒。爇音若。

相應，同氣相求，恩如骨肉，情若股肱。天垂景象，方知上應天星地曜，會合一處。今奉詔命，統領大兵征進遼國，逕涉仙境，夙生有緣，得一瞻拜。萬望真人指迷前程之事，不勝萬幸。」

羅真人道：「蒙將軍不棄，折節下問。出家人違俗已久，心如死灰，無可效忠，幸勿督過。」宋江再拜求教。

羅真人道：「將軍少坐，當具素齋。天色已晚，就此荒山草榻，權宿一宵，來早回馬。未知尊意若何？」

宋江便道：「宋江正欲我師指教，點悟愚迷，安忍便去？」

隨即喚從人托過金珠綵緞，上獻羅真人。羅真人乃曰：「貧道僻居野叟，寄形宇內，縱使受此金珠，亦無用處。隨身自有布袍遮體，綾錦綵緞，亦不曾穿。將軍統數萬之師，軍前賞賜，日費浩繁，所賜之物，乞請納回。」

宋江再拜，望請收納。羅真人堅執不受，當即供獻素齋，齋罷，又吃了茶。羅真人令公孫勝回家省母，明早卻來，隨將軍回城。

當晚留宋江庵中閒話。宋江把心腹之事，備細告知羅真人，願求指迷。羅真人道：「將軍一點忠義之心，與天地均同，神明必相護佑。他日生當封侯，死當廟食◈，決無疑慮。只是將軍一生命薄，不得全美。」

宋江告道：「我師，莫非宋江此身不得善終？」

羅真人道：「非也。將軍亡必正寢，死必歸墳。只是所生命薄，為人到處多磨，憂中少樂。得意濃時，便當退步，切勿久戀富貴。」

宋江再告：「我師，富貴非宋江之意，但願弟兄常常完聚，雖居貧賤，亦滿微心，只求大家安樂。」

羅真人笑道：「大限到來，豈容汝等留戀乎？」

宋江再拜，求羅真人法語。羅真人命童子取過紙筆，寫下八句法語，度與宋江。

那八句說道是：

◈**折節**—屈己從人。　**廟食**—指有功者死後祀之於廟。

忠心者少，義氣者稀。幽燕功畢，明月虛輝。
始逢冬暮，鴻雁分飛。吳頭楚尾，官祿同歸。

宋江看畢，不曉其意，再拜懇告：「乞我師金口剖決，指引迷愚。」羅真人道：「此乃天機不可洩漏，他日應時，將軍自知。夜深更靜，請將軍觀內暫宿一宵，來日再會。貧道當年寢寐，未曾還的，再欲赴夢去也。將軍勿罪！」宋江收了八句法語，藏在身邊，辭了羅真人，來觀內宿歇。眾道眾接至方丈，宿了一宵。

次日清晨，來參真人，其時公孫勝已到草庵裡了。羅真人叫備素饌齋飯相待。

早饌已畢，羅真人再與宋江道：「將軍在上，貧道一言可稟。這個徒弟公孫勝，本從貧道山中出家，遠絕塵俗，正當其理。奈緣是一會下星辰，不由他不來。今俗緣日短，道行日長，若今日便留下，在此伏侍貧道，卻不見了弟兄往日情分。從今日跟將軍去幹大功，如奏凱還京，此時相辭，卻望將軍還放，一者使貧道有傳道之人，二乃免他老母倚門之望。將軍忠義之士，必舉忠義之行，未知將軍雅意肯納貧道否？」

宋江道：「師父法旨，弟子安敢不聽。況公孫勝先生與江弟兄，去住從他，焉敢阻擋？」

羅真人同公孫勝都打個稽首道：「謝承將軍金諾。」當下眾人拜辭羅真人，羅真人直送宋江等出庵相別。

羅真人道：「將軍善加保重，早得建節封侯。」

宋江拜別，出到觀前。所有乘坐馬匹，在觀中餵養，從人已牽在觀外伺候，眾道士送宋江等出到觀外相別。宋江教牽馬至半山平坦之處，與公孫勝等一同上馬，再回薊州。

一路無話，早到城中州衙前下馬。

黑旋風李逵接著。說道：「哥哥去望羅真人，怎生不帶兄弟去走一遭？」戴宗道：「羅真人說，你要殺他，好生怪你。」李逵道：「他也奈何得我也夠了！」眾人都笑。

宋江入進衙內，眾人都到後堂。宋江取出羅真人那八句法語，遞與吳用看詳，不曉其意；眾人反覆看了，亦不省得。

公孫勝道：「兄長，此乃天機玄語，不可洩漏。收取過了，終身受用，休得只顧猜疑。師父法語，過後方知。」宋江遂從其說，藏於天書之內。

自此之後，屯駐軍馬，在薊州一月有餘，並無軍情之事。至七月半後，檀州趙樞密行文書到來，說奉朝廷敕旨，催兵出戰。宋江接得樞密院札付，便與軍師吳用計議，前到玉田縣合會盧俊義等，操練軍馬，整頓軍器，分撥人員已定，再回薊州祭祀旗纛，選日出師。聞左右報道：「遼國有使來到。」宋江出接，卻是歐陽侍郎，便請入後堂。

敘禮已罷，宋江問道：「侍郎來意如何？」

歐陽侍郎道：「乞退左右。」宋江隨即喝散軍士。

侍郎乃言：「俺大遼國主，好生慕公之德，若蒙將軍慨然歸順，肯助大遼，必當建節封侯。全望早成大義，免俺國主懸望之心。」

宋江答道：「這裡也無外人，亦當盡忠告訴侍郎。不知前番足下來時，眾軍皆知其意，內中有一半人，不肯歸順。若是宋江便隨侍郎出幽州，朝見郎主時，有副先鋒盧俊義，必然引兵追趕。若就那裡城下廝併，不見了我弟兄們日前的義氣。

「我今先帶些心腹之人，不揀哪座城子，借我躲避，他若引兵趕來，知我下落，那時卻好迴避他。他若不聽，卻和他廝併也未遲。他若不知我等下落時，他軍馬回報東京，必然別生枝節。我等那時朝見郎主，引領大遼軍馬，卻來與他廝殺，未為晚矣！」

歐陽侍郎聽了宋江這一席言語，心中甚喜，便回道：「俺這裡緊靠霸州，有兩個隘口，一個喚做益津關，兩邊都是險峻高山，中間只一條驛路；一個是文安縣，兩面都是惡山，過得關口，便是縣治。這兩座去處，是霸州兩扇大門，將軍若是如此，可往霸州躲避。本州是俺遼國國舅康里定安守把，將軍可就那裡，與國舅同住，卻看這裡如何？」

宋江道：「若得如此，宋江星夜使人回家，搬取老父，以絕根本。侍郎可暗地使人來引宋江去。只如此說，今夜我等收拾也。」

歐陽侍郎大喜，別了宋江，上馬去了。有詩為證：

國士從胡志可傷，常山罵賊姓名香。
宋江若肯降遼國，何似梁山作大王。

當日宋江令人去請盧俊義、吳用、朱武到薊州，一同計議智取霸州之策。下來便見宋江，酌量已定，盧俊義領令去了。

吳用、朱武暗暗吩咐眾將，如此如此而行。宋江帶去林沖、花榮、朱仝、劉唐、穆弘、李逵、樊瑞、鮑旭、項充、李袞、呂方、郭盛、孔明、孔亮，共計一十五員頭領，只帶一萬來軍校。撥定人數，只等歐陽侍郎來到便行。

望了兩日，只見歐陽侍郎飛馬而來，對宋江道：「俺郎主知道將軍實是好心的人，既蒙歸順，怕他宋兵做甚麼？俺大遼國有的是好兵好將，強人壯馬相助，你既然要取令大人，不放心時，且請在霸州與國舅作伴，俺卻差人去取未遲。」

宋江聽了，與侍郎道：「願去的軍將，收拾已完備，幾時可行？」

歐陽侍郎道：「則今夜便行，請將軍傳令。」

宋江隨即吩咐下去，都教馬摘鑾鈴，軍卒銜枚疾走，當晚便行。一面管待來使。黃昏左側，開城西門便出，歐陽侍郎引數十騎，在前領路。

宋江引一支軍馬，隨後便行。約行過二十餘里，只見宋江在馬上猛然失聲，叫聲：「苦也！」

說道：「約下軍師吳學究同來歸順大遼，不想來得慌速，不曾等得他來。軍馬慢行，卻快使人取接他來。」當時已是三更左側，前面已是益津關隘口。

歐陽侍郎大喝一聲：「開門！」

當下把關的軍將開放關口，軍馬人將，盡數度關，直到霸州。天色將曉，歐陽侍郎請宋江入城，報知國舅康里定安。原來這國舅，是大遼郎主皇后親兄，為人最有權勢，更兼膽勇過人。將著兩員侍郎，守住霸州，一個喚做金福侍郎，一個喚做葉清侍郎。聽得報道宋江來降，便叫軍馬且在城外下寨，只教為頭的宋先鋒請進城來。歐陽侍郎便同宋江入城，來見定安國舅。

國舅見了宋江，一表非俗，便乃降階而接，請至後堂。敘禮罷，請在上坐。宋江答道：「國舅乃金枝玉葉，小將是投降之人，怎消受國舅殊禮重待？宋江將何報答！」

定安國舅道：「多聽得將軍名傳寰海，威鎮中原，聲名聞於大遼，俺的國主好生慕愛。」

宋江道：「小將比領國舅的福蔭，宋江當盡心報答郎主大恩。」

定安國舅大喜，忙叫安排慶賀筵宴。一面又叫椎牛宰馬，賞勞三軍。城中選了一所宅子，教宋江、花榮等安歇，方才教軍馬盡數入城屯紮。花榮等眾將，都來見了國舅等眾人。

番將同宋江一處安歇已了，宋江便請歐陽侍郎吩咐道：「可煩侍郎差人報與把關的軍漢，怕有軍師吳用來時，吩咐便可教他進關來，我和他一處安歇。昨夜來得倉卒，不曾等候得他，我一時與足下只顧先來了，正忘了他。軍情主事，少他不得。更兼軍師文武足備，智謀並優，六韜三略，無有不會。」

歐陽侍郎聽了，隨即便傳下言語，差人去與益津關、文安縣二處把關軍將說知：「但有一個秀才模樣的人，姓吳名用，便可放他過來。」

且說文安縣得了歐陽侍郎的言語，便差人轉出益津關上，報知就裡，說與備細。上關來望時，只見塵頭蔽日，土霧遮天，有軍馬奔上關來。把關將士準備檑木炮石，安排對敵，只見山前一騎馬上，坐著一人，秀才模樣，背後一個行腳僧，一個行者，隨後又有數十個百姓，都趕上關來。馬到關前，高聲大叫：「我是宋江手下軍師吳用，欲待來尋兄長，被宋兵追趕得緊，你可開關救我！」

把關將道：「想來正是此人。」隨即開關，放入吳學究來。只見那兩個行腳僧人、行者，也挨入關，關上人當住，那行者早撞在門裡了。

和尚便道：「俺兩個出家人，被軍馬趕得緊，救咱們則個！」把關的軍，定要推出關去。那和尚發作，行者焦躁，大叫道：「俺不是出家人，俺是殺人的太歲魯智深、武松的便是！」

花和尚掄起鐵禪杖，攔頭便打。武行者掣出雙戒刀，就便殺人，正如砍瓜切菜一般。那數十個百姓，便是解珍、解寶、李立、李雲、楊林、石勇、時遷、段景住、白勝、郁保四這夥人，早奔關裡，一發奪了關口。盧俊義引著軍兵，都趕到關上，一齊殺入文安縣來。把關的官員，哪裡迎敵得住，這夥都到文安縣取齊。

卻說吳用飛馬奔到霸州城下，守門的番官報入城來。宋江與歐陽侍郎在城邊相接，便教引見國舅康里定安。

吳用說道：「吳用不合來得遲了些個。正出城來，不想盧俊義知覺，直趕將來，追到關前。小生今入城來，此時不知如何。」

又見流星探馬報來說道：「宋兵奪了文安縣，軍馬殺近霸州。」

定安國舅便教點兵，出城迎敵，宋江道：「未可調兵，等他到城下，宋江自用好言招撫他；如若不從，卻和他廝併未遲。」

只見探馬又報將來說：「宋兵離城不遠！」

定安國舅與宋江一齊上城看望。見宋兵整整齊齊，都擺列在城下。盧俊義頂盔掛甲，躍馬橫槍，點軍調將，耀武揚威，立馬在門旗之下，高聲大叫道：「只教反朝廷的宋江出來！」

宋江立在城樓下女牆邊，指著盧俊義說道：「兄弟，所有宋朝賞罰不明，

◈取齊——聚齊、會合。

奸臣當道，讒佞專權。我已順了大遼國主，汝可同心，也來幫助我，同扶大遼郎主，不失了梁山許多時相聚之意。」

盧俊義大罵道：「俺在北京安家樂業，你來賺我上山；宋天子三番降詔，招安我們，有何虧負你處，你怎敢反背朝廷？你那短見無能之人，早出來打話，見個勝敗輸贏！」

宋江大怒，喝教開城門，便差林沖、花榮、朱仝、穆弘四將齊出，活拿這廝。盧俊義一見了四將，約住軍校，躍馬橫槍，直取四將，全無懼怯。林沖等四將鬥了二十餘合，撥回馬頭，望城中便走。

盧俊義把槍一招，後面大隊軍馬，一齊趕殺入來。林沖、花榮占住吊橋，回身再殺，詐敗佯輸，誘引盧俊義搶入城中。背後三軍，齊聲吶喊，城中宋江等諸將，一齊兵變，接應入城，四方混殺，人人束手，個個歸心。定安國舅氣得目睜口呆，罔知所措，與眾等侍郎束手被擒。

宋江引軍到城中，諸將都至州衙內來，參見宋江。宋江傳令，先請上定安國舅並歐陽侍郎、金福侍郎、葉清侍郎，並皆分坐，以禮相待。

宋江道：「汝遼國不知就裡，看得俺們差矣！我這夥好漢，非比嘯聚山林之輩，一個個乃是列宿之臣，豈肯背主降遼？只要取汝霸州，特地乘此機會，今已成功，國舅等請回本國，切勿憂疑。俺無殺害之心，但是汝等部下之人，並各家老小，俱各還本國。霸州城子，已屬天朝，汝等勿得再來爭執，今後刀兵到處，無有再容。」

宋江號令已了，將城中應有番官，盡數驅遣起身，隨從定安國舅，都回幽州。宋江一面出榜安民，令副先鋒盧俊義將引一半軍馬，回守薊州。宋江等一半軍將，守住霸州，差人齎奉軍帖，飛報趙樞密，得了霸州。趙安撫聽了大喜，一面寫表申奏朝廷。

且說定安國舅與同三個侍郎，帶領眾人，歸到燕京，來見郎主，備細奏說宋江詐降一事，因此被那夥蠻子，占了霸州。

遼主聽了大怒，喝罵歐陽侍郎：「都是你這奴婢佞臣，往來搬鬥，折了俺的霸州緊要的城池，教俺燕京如何保守？快與我拿去斬了！」班部中轉出兀顏統軍，啟奏道：「郎主勿憂，量這廝何須國主費力！奴婢自有個道理，且免斬歐陽侍郎，若是宋江知得，反被他恥笑。」遼主准奏，赦了歐陽侍郎。

兀顏統軍奏道：「奴婢引起部下二十八宿將軍、十一曜大將前去布下陣勢，把這些蠻子，一鼓兒◆平收。」說言未絕，班部中卻轉出賀統軍前來奏道：「郎主不用憂心，奴婢自有個見識。常言道：殺雞焉用牛刀。哪裡消得正統軍自去！只賀某聊施小計，教這一夥蠻子死無葬身之地！」郎主聽了，大喜道：「俺的愛卿，願聞你的妙策。」

賀統軍啟口搖舌◆，說這妙計，有分教：盧俊義來到一個去處，馬無料草，人絕口糧。直教：

三軍驍勇齊消魄，一代英雄也皺眉。

畢竟賀統軍道出甚計來？且聽下回分解。

◈一鼓兒——一口氣，一網打盡的意思。 搖舌——說話。

第八六回

宋公明大戰獨鹿山
盧俊義兵陷青石峪

話說賀統軍，姓賀名重寶，是遼國中兀顏統軍部下副統軍之職。身長一丈，力敵萬人，善行妖法，使一口三尖兩刃刀，現今守住幽州，就行提督諸路軍馬。

當時賀重寶奏郎主道：「奴婢這幽州地面，有個去處，喚做青石峪，只一條路入去，四面盡是高山，並無活路。臣撥十數騎人馬，引這夥蠻子，直入裡面，卻調軍馬外面圍住。教這廝前無出路，後無退步，必然餓死。」

兀顏統軍道：「怎生便得這廝們來？」

賀統軍道：「他打了俺三個大郡，

氣滿志驕，必然想著幽州。俺這裡分兵去誘引他，他必然乘勢來趕，引入陷坑山內，走哪裡去！」

兀顏統軍道：「你的計策，怕不濟事，必還用俺大兵撲殺。且看你去如何。」

當下賀統軍辭了國主，帶了盔甲刀馬，引了一行步從兵卒，回到幽州城內。將軍馬點起，分作三隊，一隊守住幽州，二隊望霸州、薊州進發。傳令已了，便驅遣兩隊軍馬出城，差兩個兄弟前去領兵。大兄弟賀拆去打霸州，小兄弟賀雲去打薊州，都不要贏他，只佯輸詐敗，引入幽州境界，自有計策。

卻說宋江等守住霸州，有人來報：「遼兵侵犯薊州，恐有疏失，望調軍兵救護。」

宋江道：「既然來打，必須迎敵，就此機會，去取幽州。」宋江留下些少軍馬守定霸州，其餘大隊軍兵，拔寨都起。引軍前去薊州，會合盧俊義軍馬，約日進兵。

且說番將賀拆引兵霸州來，宋江正調軍馬出來，卻好半路裡接著。不曾鬥得三合，賀拆引軍敗走，宋江不去追趕。卻說賀雲去打薊州，正迎著呼延灼，不戰自退。宋江會合盧俊義一同上帳，商議攻取幽州之策。吳用、朱武便道：「幽州分兵兩路而來，此必是誘引之計，且未可行。」盧俊義道：「軍師錯矣！那廝連輸了數次，如何是誘敵之計？當取不取，過後難取，不就這裡去取幽州，更待何時？」宋江道：「這廝勢窮力盡，有何良策可施？正好乘此機會。」遂不從吳用、朱武之言，引兵往幽州便進，將兩處軍馬，分作大小三路起行。只見前軍報來說：「遼兵在前攔住。」

宋江到軍前看時，山坡後轉出一彪皂旗來。宋江便教前軍擺開人馬，只見那番軍番將分作四路，向山坡前擺開。宋江、盧俊義與眾將看時，如黑雲湧出千百萬人馬相似，簇擁著一員番官，橫著三尖兩刃刀，立馬陣前。

那番官怎生打扮？但見：

頭戴明霜鑌鐵盔，身披曜日連環甲，

足穿抹綠雲根靴，腰繫龜背狻猊帶。

襯著錦繡緋紅袍，執著鐵杆狼牙棒。

手持三尖兩刃八環刀，坐下四蹄雙翼千里馬。

前面行軍旗上，寫的分明：「大遼副統軍賀重寶。」躍馬橫刀，出於陣前。宋江看了道：「遼國統軍必是上將，誰敢出馬？」

說猶未了，大刀關勝舞起青龍偃月刀，縱坐下赤兔馬，飛出陣來，也不打話，便與賀統軍相併。鬥到三十餘合，賀統軍氣力不加，撥過刀，望本陣便走，關勝驟馬追趕。賀統軍引了敗兵，奔轉山坡，宋江便調軍馬追趕。約有四、五十里，聽得四下裡戰鼓齊響，宋江急叫回軍時，山坡左邊，早撞過一彪番軍攔路。

宋江急分兵迎敵時，右手下又早撞出一支遼兵，前面賀統軍勒兵回來夾攻。宋江兵馬，四下救應不迭，被番兵撞做兩段。

卻說盧俊義引兵在後面厮殺時，不見了前面軍馬，急尋門路，要殺回來，只見脅窩裡又撞出番軍來厮併。遼兵喊殺連天，四下裡撞擊，左右被番軍圍住在垓心。盧俊義調撥眾將，左右衝突，前後捲殺，尋路出去。眾將揚威耀武，抖擻精神，正奔四下裡厮殺，忽見陰雲閉合，黑霧遮天，白晝如夜，不分東西南北。盧俊義心慌，急引一支軍馬，死命殺出。昏黑中，聽得前面鑾鈴聲響，縱馬引兵殺過去。至一山口，只聽得裡面人語馬嘶，領軍趕將入去，只見狂風大作，走石飛沙，對面不見。

盧俊義殺到裡面，約莫二更前後，方才風靜雲開，復見一天星斗。眾人打一看時，四面盡是高山，左右是懸崖峭壁，只見高山峻嶺，無路可登。隨行人馬，只見徐寧、索超、韓滔、彭玘、陳達、楊春、周通、李忠、鄒淵、鄒潤、楊林、白勝，大小十二個頭領，有五千軍馬，星光之下待尋歸路，四下高山圍匝，不能得出。

盧俊義道：「軍士廝殺了一日，神思困倦，且就這裡權歇一宵，暫停戰馬，明日卻尋歸路。」

再說宋江正廝殺間，只見黑雲四起，走石飛沙，軍士對面，都不相見。隨軍內卻有公孫勝在馬上見了，知道此是妖法，急拔寶劍在手，就馬上作用，口中念念有詞，喝聲道：「疾！」把寶劍指點之處，只見陰雲四散，狂風頓息，遼軍不戰自退。

宋江驅兵殺透重圍，退到一座高山，迎著本部軍馬。且把糧車頭尾相銜，權做寨柵。計點大小頭領，於內不見了盧俊義等一十三人，並五千餘軍馬。至天明，宋江便遣呼延灼、林沖、秦明、關勝各帶軍兵，四下裡去尋了一日，不知些消息回覆。

宋江便取玄女課，焚香占卜已罷，說道：「大象不妨，只是陷在幽陰之處，急切難得出來。」宋江放心不下，遂遣解珍、解寶扮作獵戶，繞山來尋；又差時遷、石勇、段景住、曹正，四下裡去打聽消息。

且說解珍、解寶披上虎皮袍，拖了鋼叉，只望深山裡行。看看天色向晚，兩個行到山中，四邊只一望，不見人煙，都是亂山疊嶂。解珍、解寶又行了幾個山頭。是夜月色朦朧，遠遠地望見山畔一點燈光。

弟兄兩個道：「那裡有燈光之處，必是有人家。我兩個且尋去討些飯吃。」望著燈光處，拽開腳步奔將來。未得一里多路，來到一個去處，傍著樹林坡，有座三數間草屋，屋下破壁裡，閃出燈光來。解珍、解寶推開扇門，燈光之下，見是個婆婆，年紀六旬之上。弟兄兩個放下鋼叉，納頭便拜。

那婆婆道：「我只道是俺孩兒來家，不想卻是客人到此。客人休拜，你是哪裡獵戶，怎生到此？」

解珍道：「小人原是山東人氏，舊日是獵戶人家。因來此間做些買賣，不想正撞著軍馬熱鬧，連連廝殺，以此消折了本錢，無甚生理。弟兄兩個，只得來山中尋討些野味養口，誰想不識路徑，迷蹤失跡，來到這裡，投宅上暫宿一宵。望老奶奶收留則個！」

那婆婆道：「自古云：誰人頂著房子走哩！我家兩個孩兒，也是獵戶，敢如今便回來也。客人少坐，我安排些晚飯，與你兩個吃。」

解珍、解寶謝道：「多感老奶奶！」那婆婆入裡面去了。弟兄兩個，卻坐在門前。不多時，只見門外兩個人，扛著一個獐子入來，口裡叫道：「娘，妳在哪裡？」

只見那婆婆出來道：「孩兒，你們回了。且放下獐子，與這兩位客人廝見。」解珍、解寶慌忙下拜。

那兩個答禮已罷，便問：「客人何處？因甚到此？」解珍、解寶便把卻才的話再說一遍。

那兩個道：「俺祖居在此。俺是劉二，兄弟劉三。父是劉一，不幸死了，只有母親。專靠打獵營生，在此三、二十年了。此間路徑甚雜，俺們尚有不認得去處。你兩個是山東人氏，如何到此間討得衣飯吃？你休瞞我，你二位敢不是打獵戶麼？」

解珍、解寶道：「既到這裡，如何藏得？實訴與兄長。」有詩為證：

峰巒重疊繞周遭，兵陷垓心不可逃。
二解欲知貔虎路，故將蹤跡混漁樵。

當時解珍、解寶跪在地下說道：「小人們果是山東獵戶，弟兄兩個，喚做解珍、解寶，在梁山泊跟隨宋公明哥哥許多時落草，今來受了招安，隨著哥哥來破遼國。前日正與賀統軍大戰，被他衝散，一支軍馬不知陷在哪裡，特差小人弟兄兩個來打探消息。」

那兩個弟兄笑道：「你二位既是好漢，且請起，俺指與你路頭。你兩個且少坐，俺煮一腿獐子肉，暖杯社酒，安排請你二位。」沒一個更次，煮得肉來，劉二、劉三管待解珍、解寶。飲酒之間，動問道：「俺們久聞你梁山泊宋公明替天行道，不損良民，直傳聞到俺遼國。」

解珍、解寶便答道：「俺哥哥以忠義為主，誓不擾害善良，單殺濫官酷吏、倚強凌弱之人。」

那兩個道：「俺們只聽得說，原來果然如此！」盡皆歡喜，便有相愛不捨之情。

解珍、解寶道：「我那支軍馬，有十數個頭領，三五千兵卒，正不知下落何處。我想也得好一片地來排陷他。」

那兩個道：「你不知俺這北邊地理。只此間是幽州管下，有個去處，喚做青石峪，只有一條路入去，四面盡是懸崖峻壑的高山。若是填塞了那條入去的路，再也出不來，多定只是陷在那裡了，此間別無這般寬闊去處。如今你那宋先鋒屯軍之處，喚做獨鹿山。這山前平坦地面，可以厮殺，若山頂上望時，都見四邊來的軍馬。

「你若要救那支軍馬，捨命打開青石峪，方才可以救出。那青石峪口，必然多有軍馬，截斷這條路口。此山柏樹極多，惟有青石峪口兩株大柏樹，最大得好，形如傘蓋，四面盡皆望見。那大樹邊正是峪口。更提防一件：賀統軍會行妖法，教宋先鋒破他，這一件要緊。」

◈**貔虎**——貔與虎都是猛獸。比喻勇猛的將士。

解珍、解寶得了這言語，拜謝了劉家兄弟兩個，連夜回寨來。

宋江見了問道：「你兩個打聽得些分曉麼？」解珍、解寶卻把劉家弟兄的言語，備細說了一遍。

宋江失驚，便請軍師吳用商議。

正說之間，只見小校報道：「段景住、石勇引將白勝來了。」

宋江道：「白勝是與盧先鋒一同失陷，他此來必是有異。」

隨即喚來帳下問時，段景住先說：「我和石勇正在高山澗邊觀望，只見山頂上一個大氈包滾將下來。我兩個看時，看看滾到山腳下，卻是一團氈衫，裡面四圍裹定，上用繩索緊拴。直到樹邊看時，裡面卻是白勝。」

白勝便道：「盧頭領與小弟等一十三人，正廝殺間，只見天昏地暗，日色無光，不辨東南西北。只聽得人語馬嘶之聲，盧頭領便教只顧殺將入去。誰想深入重地！那裡盡是四面高山，無計可出，又無糧草接濟，一行人馬，實是艱難。盧頭領差小弟從山頂上滾將下來，尋路報信，不想正撞著石勇、段景住二人。望哥哥早發救兵前去接應，遲則諸將必然死了！」

宋江聽罷，連夜點起軍馬，令解珍、解寶為頭引路，望這大柏樹，便是峪口。傳令教馬步軍兵，併力殺去，務要殺開峪口。

人馬行到天明，遠遠的望見山前兩株大柏樹，果然形如傘蓋。當下解珍、解寶引著軍馬，殺到山前。峪口賀統軍便將軍馬擺開，兩個兄弟爭先出戰。

宋江軍將要搶峪口，一齊向前。豹子頭林沖飛馬先到，正迎著賀拆，交馬只兩合，從肚皮上一槍搠著，把那賀拆搠於馬下。步軍頭領，見馬軍先到贏了，一發都奔將入去。

黑旋風李逵手掄雙斧，一路裡砍殺遼兵。背後便是混世魔王樊瑞、喪門神鮑旭，引著牌手項充、李衮並眾多蠻牌，直殺入遼兵隊裡。李逵正迎著賀雲，搶到馬下，一斧砍斷馬腳，當時倒了。賀雲落馬，李逵雙斧如飛，連人帶馬，只顧亂剁。

遼兵正擁將來，卻被樊瑞、鮑旭兩下眾牌手撞著。賀統軍見折了兩個兄弟，便口中念念有詞，作起妖法。不知道念些甚麼，只見狂風大起，就地生雲，黑暗暗罩住山頭，昏慘慘迷合峪口。

正作用間，宋軍中轉過公孫勝來，在馬上掣出寶劍在手，口中念不過數句，大喝一聲道：「疾！」

只見四面狂風，掃退浮雲現出明朗朗一輪紅日，馬步三軍眾將向前，捨死併殺遼兵。賀統軍見作法不靈，敵軍衝突得緊，自舞刀拍馬，殺過陣來。只見兩軍一齊混戰，宋兵殺得遼兵東西逃竄。

馬軍追趕遼兵，步軍便去扒開峪口。原來被這遼兵重重疊疊將大塊青石，填塞住這條出路。步軍扒開峪口，殺進青石峪內。盧俊義見了宋江軍馬，皆稱慚愧。宋江傳令，教且休趕遼兵，收軍回獨鹿山，將息被困人馬。盧俊義見了宋江，放聲大哭道：「若不得仁兄垂救，幾喪了兄弟性命！」宋江、盧俊義同吳用、公孫勝並馬回寨，將息三軍，解甲暫歇。

次日，軍師吳學究說道：「可乘此機會，就好取幽州。若得了幽州，遼國之亡，唾手可待。」宋江便叫盧俊義等一十三人軍馬，且回薊州權歇，宋江自領大小諸將軍卒人等，離了獨鹿山，前來攻打幽州。

賀統軍正退回在城中，為折了兩個兄弟，心中好生納悶。又聽得探馬報道：「宋江軍馬來打幽州。」番軍越慌。

眾遼兵上城觀望，見東北下一簇紅旗，西北下一簇青旗，兩彪軍馬奔幽州來，即報與賀統軍。賀統軍聽得大驚，親自上城來看時，認得是遼國來的旗號，心中大喜。來的紅旗軍馬，盡寫銀字，這支軍乃是大遼國駙馬太真胥慶，只有五千餘人。

這一支青旗軍馬，旗上都是金字，盡插雉尾，乃是李金吾大將。原來那個番官，正受黃門侍郎左執金吾上將軍，姓李名集，呼為李金吾，乃李陵之後，蔭襲金吾之爵，現在雄州屯紮，部下有一萬來軍馬，侵犯大宋邊界，正是此輩。聽得遼主折了城子，因此調兵前來助戰。

賀統軍見了，使人去報兩路軍馬：「且休入城，教去山背後埋伏暫歇，待我軍馬出城，一面等宋江兵來，左右掩殺。」賀統軍傳報已了，遂引軍兵出幽州迎敵。

宋江諸將已近幽州，吳用便道：「若是他閉門不出，便無準備；若是他引兵出城迎敵，必有埋伏。我軍可先分兵作三路而進，一路直往幽州進發，迎敵來軍，兩路如羽翼相似，左右護持。若有埋伏軍起，便教這兩路軍去迎敵。」

宋江便撥調關勝帶宣贊、郝思文領兵在左，再調呼延灼帶單廷珪、魏定國領兵在右，各領一萬餘人，從山後小路，慢慢而行。宋江等引大軍前來，逕往幽州進發。

卻說賀統軍引兵前來，正迎著宋江軍馬。兩軍相對，林沖出馬，與賀統軍交戰，鬥不到五合，賀統軍回馬便走。宋江軍馬追趕，賀統軍分兵兩路，不入幽州，繞城而走。吳用在馬上便叫：「休趕！」說猶未了，左邊撞出太真駙馬來，已有關勝卻好迎住，右邊撞出李金吾來，又有呼延灼卻好迎住。正來三路軍馬，逼住大戰，殺得屍橫遍野，流血成河。賀統軍情知遼兵不勝，欲回幽州時，撞過二將，接住便殺，乃是花榮、秦明，死戰定賀統軍。欲退回西門城邊，又撞見雙槍將董平，又殺了一陣；轉過南門，撞見朱仝，接著又殺一陣。賀統軍不敢入城，撞條大路，望北而走，不提防前面撞著鎮三山黃信，舞起大刀，直取賀統軍。

賀統軍心慌，措手不及，被黃信一刀正砍在馬頭上。賀統軍棄馬而走，不想脅窩裡又撞出楊雄、石秀兩步軍頭領，齊上把賀統軍攧翻在肚皮下。宋萬挺槍又趕將來。

眾人只怕爭功，壞了義氣，就把賀統軍亂槍戳死。那隊遼兵已自先散，各自逃生。太真駙馬見統軍隊裡，倒了帥字旗，軍校漫散，情知不濟，便引了這彪紅旗軍，從山背後走了。李金吾正戰之間，不見了這紅旗軍，料道不濟事，也引了這彪青旗軍，望山後退去。

宋江見這三路軍兵盡皆退了，大驅人馬，奔來奪取幽州。不動聲色，一鼓而收。來到幽州城內，紮駐三軍，便出榜安撫百姓。隨即差人急往檀州報捷，請趙樞密移兵薊州守把，就取這支水軍頭領並船隻，前來幽州聽調，卻教副先鋒盧俊義分守霸州。前後共得了四個大郡。

趙安撫見了來文大喜，一面申奏朝廷，一面行移薊、霸二州，知會再差水軍頭領，收拾進發，準備水陸並進。

且說遼主陞殿，會集文武番官。左丞相幽西孛瑾、右丞相太師褚堅、統軍大將等眾，當廷商議：「即目宋江侵奪邊界，占了俺四座大郡，早晚必來侵犯皇城，燕京難保。賀統軍弟兄三個已亡，汝等文武群臣，當國家多事之秋，如何處置？」

有都統軍兀顏光奏道：「郎主勿憂！前者奴婢累次只要自去領兵，往往被人阻擋，以致養成賊勢，成此大禍。伏乞親降聖旨，任臣選調軍馬，會合諸處軍兵，剋日興師，務要擒獲宋江等眾，恢復原奪城池。」

郎主准奏，遂賜出明珠虎牌，金印敕旨，黃鉞白旄，朱幡皂蓋，盡付與兀顏統軍。不問金枝玉葉，皇親國戚，不揀是何軍馬，並聽愛卿調遣。速便起兵，前去征進。

兀顏統軍領了聖旨兵符，便下教場，會集諸多番將，傳下將令，調遣諸處軍馬，前來策應。卻才傳令已罷，有統軍長子兀顏延壽，直至演武亭上稟道：「父親一面整點大軍，孩兒先帶數員猛將會集太真駙馬、李金吾將軍二處軍馬，先到幽州，殺敗這蠻子們八分。待父親來時，甕中捉鱉，一鼓掃清宋兵。不知父親鈞意如何？」

兀顏統軍道：「吾兒言見得是。與汝突騎◈五千，精兵二萬，就做先鋒，即便會同太真駙馬、李金吾二將，刻下便行。如有捷音，火速飛報。」

小將軍欣然領了號令，整點三軍，逕奔幽州來。正是：

萬馬奔馳天地怕，千軍踴躍鬼神愁。

畢竟兀顏小將軍怎生搦戰？且聽下回分解。

◈突騎——衝鋒陷陣的優秀騎兵。

第八七回

宋公明大戰幽州 呼延灼力擒番將

話說當時兀顏延壽將引二萬餘軍馬，會合了太真駙馬、李金吾，共領三萬五千番軍，整頓槍刀弓箭，一應器械完備，擺布起身。

早有探子來幽州城裡，報知宋江。宋江便請軍師吳用商議：「遼兵累敗，今次必選精兵猛將，前來廝殺，當以何策應之？」

吳用道：「先調兵出城，布下陣勢。待遼兵來，慢慢地挑戰。他若無能，自然退去。」

宋江隨即調遣軍馬出城，離城十里，地名方山，地勢平坦，靠山傍水，排下九宮八卦陣勢。等候間，只見遼兵分作三隊而來。兀顏小將軍兵馬是皂旗，太真駙馬是紅旗，李金吾軍是青旗。三軍齊到，見宋江擺成陣勢，那兀顏延壽在父親手下，曾習得陣法，深知玄妙，便令青紅旗二軍，分在左右，紮下營寨，自去中軍，豎起雲梯，看了宋兵果是九宮八卦陣勢，下雲梯來，冷笑不止。

左右副將問道：「將軍何故冷笑？」

兀顏延壽道：「量他這個九宮八封陣，誰不省得？他將此等陣勢，瞞人不過，俺卻驚他則個！」令眾軍擂三通畫鼓，豎起將臺，就臺上用兩把號旗招展，左右列成陣勢已了，下將臺來上馬，令首將哨開陣勢，親到陣前，與宋江打話。那小將軍怎生結束？但見：

戴一頂三叉如意紫金冠，穿一件蜀錦團花白銀鎧。
足穿四縫鷹嘴抹綠靴，腰繫雙環龍角黃鞓帶。
蚪螭吞首打將鞭，霜雪裁鋒殺人劍。
左懸金畫寶雕弓，右插銀嵌狼牙箭。
使一枝畫桿方天戟，騎一匹鐵脚棗騮馬。

兀顏延壽勒馬直到陣前，高聲叫道：「你擺九宮八卦陣，待要瞞誰！你卻識得俺的陣麼？」宋江聽得番將要鬥陣法，叫軍中豎起雲梯。宋江、吳用、朱武上雲梯觀望了遼兵陣勢，三隊相連，左右相顧。朱武早已認得，對宋江道：「此太乙三才陣也。」

宋江留下吳用同朱武在將臺上，自下雲梯來，上馬出到陣前，挺鞭直指遼將，喝道：「量你這太乙三才陣，何足為奇！」

兀顏小將軍道：「你識吾陣？看俺變法，教汝不識！」勒馬入中軍，再上將臺，把號旗招展，變成陣勢。吳用、朱武在將臺上看了，此乃變作「河洛四象陣」。使人下雲梯來，回覆宋江知了。

兀顏小將軍再出陣門，橫戟問道：「還識俺陣否？」

宋江答道：「此乃變出河洛四象陣。」

那兀顏小將搖著頭冷笑，再入陣中，上將臺，把號旗左招右展，又變成陣勢。吳用、朱武在將臺上看了，朱武道：「此乃變作循環八卦陣。」再使人報與宋江知道。

那小將軍再出陣前，高聲問道：「還能識吾陣否？」宋江笑道：「料只是變出循環八卦陣，不足為奇。」小將軍聽了，心中自忖道：「俺這幾個陣勢，都是祕傳來的，不期都被此人識破。宋兵之中，必有人物！」

兀顏小將軍再入陣中，下馬上將臺，將號旗招展，左右盤旋，變成個陣勢：四邊都無門路，內藏八八六十四隊兵馬。

朱武再上雲梯看了，對吳用說道：「此乃是武侯◆八陣圖，藏了首尾，人皆不曉。」

便著人請宋公明到陣中，上將臺看這陣法。「休欺負他，遼兵這等陣圖，皆得傳授。此四陣皆從一派傳流下來，並無走移。先是太乙三才，生出河洛四象，四象生出循環八卦，八卦生出八八六十四卦，已變為八陣圖。此是循環無比，絕高的陣法。」宋江下將臺，上戰馬，直到陣前。

◆武侯——指諸葛亮。

小將軍搠戟在手，勒馬陣前，高聲大叫：「能識俺陣否？」宋江喝道：「汝小將年幼學淺，如井底之蛙，只知此等陣法以為絕高。量這藏頭八陣圖法瞞誰？瞞吾大宋，小兒也瞞不過！」兀顏小將軍道：「你雖識俺陣法，你且排一個奇異的陣勢，瞞俺則個！」宋江喝道：「只俺這九宮八卦陣勢，雖是淺薄，你敢打麼？」小將軍大笑道：「量此等小陣，有何難哉？你軍中休放冷箭，看咱打你這個小陣！」

且說兀顏小將軍便傳將令，直教太真駙馬、李金吾各撥一千軍，「待俺打透陣勢，便來策應。」傳令已罷，眾軍擂鼓。

宋兵已傳下將令，教軍中整擂三通戰鼓，門旗兩開，放打陣的小將入來。那兀顏延壽帶本部下二十來員牙將，一千披甲馬軍，用手掐算，當日屬火，不從正南離位上來，帶了軍馬，轉過右邊，從西方兌位上。蕩開白旗，殺入陣內，後面的被弓箭手射住，只有一半軍馬入得去，其餘都回本陣。

卻說小將軍走到陣裡，便奔中軍，只見中間白蕩蕩如銀牆鐵壁，團團圍住小將軍。那兀顏延壽見了，驚得面如土色，心中暗想：「陣裡哪得這等城子？」便教四邊且打通舊路，要殺出陣來。

眾軍回頭看時，白茫茫如銀海相似，滿地只聽得水響，不見路徑。小將軍甚慌，引軍殺投南門來，只見千團火塊，萬縷紅霞，就地而滾，並不見一個軍馬。小將軍哪裡敢出南門，鏇斜裡殺投東門來，只見帶葉樹木，連枝山柴，交橫塞滿地下，兩邊都是鹿角，無路可進。卻轉過北門來，又見黑氣遮天，烏雲蔽日，伸手不見掌，如黑暗地獄相似。

那兀顏小將軍在陣內，四門無路可出，心中疑道：「此必是宋江行持妖法！休問怎生，只就這裡死撞出去！」眾軍得令，齊聲吶喊，殺將出去。

旁邊撞出一員大將，高聲喝道：「孺子小將，走哪裡去！」兀顏小將軍欲待來戰，措手不及，腦門上早飛下一鞭來。那小將軍眼明手快，便把方天戟來攔住，只聽得雙鞭齊下，早把戟桿折做兩段。急待掙扎，被那將軍撲入懷內，輕舒猿臂，款扭狼腰，把這兀顏小將軍活捉過去，攔住後軍，都喝下馬來。

眾軍黑天摸地，不辨東西，只得下馬受降。拿住小將軍的不是別人，正是虎軍大將雙鞭呼延灼。當時公孫勝在中軍作法，見報捉了小將軍，便收了法術，陣中仍復如舊，青天白日。

且說太真駙馬並李金吾將軍，各引兵一千，只等陣中消息，便要來策應，卻不想不見些動靜，不敢殺過來。

宋江出到陣前，高聲喝道：「你那兩軍不降，更待何時？兀顏小將已被吾生擒在此！」喝令群刀手簇出陣前。

李金吾見了，一騎馬，一條槍，直趕過來，要救兀顏延壽。卻有霹靂火秦明正當前部，飛起狼牙棍，直取李金吾。二馬相交，軍器並舉，兩軍齊聲吶喊。

李金吾先自心中慌了，手段緩急差遲，被秦明當頭一棍，連盔透頂，打得粉碎。李金吾攧下馬來。太真駙馬見李金吾輸了，引軍便回。宋江催兵掩殺，遼兵大敗奔走。奪得戰馬三千餘匹，旗幡劍戟，棄滿川谷。宋江引兵逕望燕京進發，直欲長驅席捲，以復王封◈。

卻說遼兵敗殘人馬，逃回遼國，見了兀顏統軍，稟說小將軍去打宋兵陣勢，被他活捉去了，其餘牙將，盡皆歸降。李金吾亦被他那裡一棍打死，太真駙馬逃得性命，不知去向。

兀顏統軍聽了大驚，便道：「吾兒自小習學陣法，頗知玄妙。宋江那廝，把甚陣勢，捉了吾兒？」

左右道：「只是個九宮八卦陣勢，又無甚稀奇；俺這小將軍，布了四個陣勢，都被那蠻子識破了！臨了，對俺小將軍說道：『你識我九宮八卦陣，你敢來打麼？』俺小將軍便領了千百騎馬軍，從西門打將入去，被他強弓硬弩射住，只有一半人馬，能夠入去，不知怎生被他生擒活捉了。」

◈王封——國土。

兀顏統軍道：「量這個九宮八卦陣有甚難打，必是被他變了陣勢。」眾軍道：「俺們在將臺上望見他陣中，隊伍不動，旗旛不改，只見上面一派黑雲，罩定陣中。」

兀顏統軍道：「恁的必是妖術。吾不起軍，這廝也來。若不取勝，吾當自刎！誰敢與吾作前部先鋒，引兵前去？俺驅大隊，隨後便來。」帳前轉過二將齊出，「某等兩個，願為前部。」一個是番官瓊妖納延，一個是燕京驍將，姓寇雙名鎮遠。

兀顏統軍大喜，便道：「你兩個小心在意，與吾引一萬軍兵，作前部先鋒，逢山開路，遇水疊橋。吾引大軍，隨後便到。」

且不說瓊、寇二將起身，作先鋒開路，卻說兀顏統軍，隨即整點本部下十一曜大將、二十八宿將軍，盡數出征。先說那十一曜大將：

太陽星御弟大王：耶律得重，引兵五千；

太陰星天壽公主：答里孛，引女兵五千；

羅睺星皇姪：耶律得榮，引兵三千；
計都星皇姪：耶律得華，引兵三千；
紫炁星皇姪：耶律得忠，引兵三千；
月孛星皇姪：耶律得信，引兵三千；
東方青帝木星大將：只兒拂郎，引兵三千；
西方太白金星大將：烏利可安，引兵三千；
南方熒惑火星大將：洞仙文榮，引兵三千；
北方玄武水星大將：曲利出清，引兵三千；
中央鎮星土星上將都統軍兀顏光，總領各飛兵馬首將五千，鎮守中壇。

兀顏統軍再點部下那二十八宿將軍：

角木蛟：孫忠　　亢金龍：張起
氐土貉：劉仁　　房日兔：謝武
心月狐：裴直　　尾火虎：顧永興

箕水豹：賈茂　斗木獬：蕭大觀
牛金牛：薛雄　女土蝠：俞得成
虛日鼠：徐威　危月燕：李益
室火豬：祖興　壁水㺄：成珠那海
奎木狼：郭永昌　婁金狗：阿哩義
胃土雉：高彪　昴日雞：順受高
畢月烏：國永泰　觜火猴：潘異
參水猿：周豹　井木犴：童里合
鬼金羊：王景　柳土獐：雷春
星日馬：卞君保　張月鹿：李復
翼火蛇：狄聖　軫水蚓：班古兒

那兀顏光整點就十一曜大將、二十八宿將軍，引起大隊軍馬精兵二十餘萬，傾國而起，奉請郎主御駕親征。有古風一篇為證：

羊角風旋天地黑，黃沙漠漠雲陰澀。
契丹兵動山嶽摧，萬里乾坤皆失色。
狂嘶駿馬坐胡兒，躍溪超嶺流星馳。
攙槍發光天狗吠，迷離毒霧奔群魑。
寶雕弓挽烏龍脊，雪刃霜刀映寒日。
萬片霞光錦帶旗，千池荷葉青氈笠。
胡笳齊和天山歌，鼓聲震起白駱駝。
番王左右持繡斧，統軍前後揮金戈。
繡斧金戈勢相亞，打圍一路無禾稼。
海青放起鴻鵠愁，豹子鳴時神鬼怕。
幽州城下如沸波，連營列騎精兵多。
罡星天遣除妖祲◈，紛紛宿曜如予何。

◈祲──不祥之氣。祲音金。

且不說兀顏統軍興起大隊之師，捲地而來。再說先鋒瓊、寇二將引一萬人馬，先來進兵，早有細作報與宋江，這場廝殺不小。

宋江聽了大驚，傳下將令，一面教取盧俊義部下盡數軍馬，一面又取檀州、薊州舊有人員都來聽調。就請趙樞密前來監戰。再要水軍頭目，將帶水手人員，盡數登岸，都到霸州取齊。陸路進發，水軍頭領護持趙樞密在後而來，應有軍馬，盡在幽州。

宋江等接見趙樞密，參拜已罷，趙樞密道：「將軍如此勞神，國之柱石，名傳萬載。下官回朝，於天子前必當重保。」

宋江答道：「無能小將，不足掛齒。上托天子洪福，下賴元帥虎威，偶成小功，非人能也！今有探細人報來就裡，聞知遼國兀顏統軍，起二十萬軍馬，傾國而來。興亡勝敗，決此一戰。特請樞相另立營寨，於十五里外屯紮，看宋江施犬馬之勞，與眾弟兄併力向前，決此一戰。」

趙樞密道：「將軍善覷方便。」

宋江遂辭了趙樞密，與同盧俊義引起大軍，轉過幽州地面所屬永清縣界，把軍馬屯紮下了營寨；聚集諸將頭領，上帳同坐，商議軍情大事。宋江道：「今次兀顏統軍親引遼兵，傾國而來，決非小可，死生勝負，在此一戰！汝等眾兄弟，皆宜努力向前，勿生退悔。但得微功，上達朝廷，天子恩賞，必當共享。」

眾皆起身，都道：「兄長之命，誰敢不依！」

正商議間，小校報來，有遼國使人下戰書來。宋江教喚至帳下，將書呈上。宋江拆書看了，乃是遼國兀顏統軍帳前先鋒使瓊、寇二將軍，統前部兵馬，相期來日決戰。宋江就批書尾，回示來日決戰，叫與來使酒食，放回本寨。

此時秋盡冬來，軍披重鎧，馬掛皮甲，盡皆得時。

次日，五更造飯，平明拔寨，盡數起行。不到四五里，宋兵果與遼兵相迎。遙望皂雕旗影裡，閃出兩員先鋒旗號來。戰鼓喧天，門旗開處，那個瓊先鋒當先出馬。怎生打扮？但見：

頭戴魚尾捲雲鑌鐵冠，披掛龍鱗傲霜嵌縫鎧，
身穿石榴紅錦繡羅袍，腰繫荔枝七寶黃金帶，
足穿抹綠鷹嘴金線靴，腰懸鍊銀竹節熟鋼鞭。
左掛硬弓，右懸長箭。
馬跨越嶺巴山獸，槍搦翻江攪海龍。

當下那個瓊妖納延，橫槍躍馬，立在陣前。宋江在門旗下看了瓊先鋒如此英雄，便問：「誰與此將交戰？」

當下九紋龍史進提刀躍馬，出來與瓊將軍挑鬥。戰馬相交，軍器並舉。二將鬥到三、二十合，史進一刀卻砍個空，吃了一驚，撥回馬望本陣便走，瓊先鋒縱馬趕來。宋兵陣上小李廣花榮正在宋江背後，見輸了史進，便拈起弓，搭上箭，把馬挨出陣前，覷得來馬較近，颼的只一箭，正中瓊先鋒面門，翻身落馬。

史進聽得背後墜馬，霍地回身，復上一刀，結果了瓊妖納延。

那寇先鋒望見砍了瓊先鋒，怒從心起，躍馬提槍，直出陣前，高聲大罵：「賊將怎敢暗算吾兄！」

當有病尉遲孫立飛馬直出，逕來奔寇鎮遠。軍中戰鼓喧天，耳畔喊聲不絕。那孫立的金槍，神出鬼沒，寇先鋒鬥不過二十餘合，勒回馬便走，不敢回陣，恐怕撞動了陣腳，繞陣東北而走。孫立正要建功，哪裡肯放，縱馬趕去。

寇先鋒去得遠了，孫立在馬上帶住槍，左手拈弓，右手取箭，搭上箭，拽滿弓，覷著寇先鋒後心較親，只一箭，那寇將軍聽得弓弦響，把身一倒，那枝箭卻好射到，順手只一綽，綽了那枝箭。孫立見了，暗暗地喝采。

寇先鋒冷笑道：「這廝賣弄弓箭！」

便把那枝箭咬在口裡，自把槍帶在了事環上，急把左手取出硬弓，右手就取那枝箭，搭上弦，扭過身來，望孫立前心窩裡一箭射來。孫立早已偷眼見了，在馬上左來右去。那枝箭到胸前，把身望後便倒，那枝箭從身上飛過去了。這馬收勒不住，只顧跑來。寇先鋒把弓穿在臂上，扭回身，且看孫立倒在馬上。寇先鋒想道：「必是中了箭！」

原來孫立兩腿有力，夾住寶鐙，倒在馬上，故作如此，卻不墜下馬來。寇先鋒勒轉馬，要捉孫立。兩個馬頭，卻好相迎著，隔不得丈尺來去，孫立卻跳將起來，大喝一聲。

寇先鋒吃了一驚，便回道：「你只躲得我箭，須躲不得我槍！」望孫立胸前，盡力一槍搠來，孫立挺起胸脯，受他一槍。槍尖到甲，略側一側，那槍從肋窩裡放將過去，那寇將軍卻撲入懷裡來。孫立就手提起腕上虎眼鋼鞭，向那寇先鋒腦袋上飛將下來，削去了半個天靈骨。那寇將軍做了半世番官，死於孫立之手，屍骸落於馬前。

孫立提槍回來陣前。宋江大縱三軍，掩殺過對陣來。遼兵無主，東西亂竄，各自逃生。

宋江正趕之間，聽得前面連珠炮響。宋江便教水軍頭領，先引一支軍卒人馬，把住水口；差花榮、秦明、呂方、郭盛騎馬上山頂望時，只見垓垓攘攘◆，番軍人馬，蓋地而來。正是：

鳴鏑◆如雷奔虜騎，揚塵若霧湧胡兵。

畢竟來的番軍是何處人馬？且聽下回分解。

◆垓垓攘攘——擁擠雜亂的樣子。 鳴鏑——軍中發號令的響箭。

第八八回

顏統軍陣列混天象
宋公明夢授玄女法

話說當時宋江在高阜處，看了遼兵勢大，慌忙回馬來到本陣，且教將軍馬退回永清縣山口屯紮。

便就帳中與盧俊義、吳用、公孫勝等商議道：「今日雖是贏了他一陣，損了他兩個先鋒，我上高阜處觀望遼兵，其勢浩大，漫天遍地而來，此乃是大隊番軍人馬。來日必用與他大戰交鋒，恐寡不敵眾，如之奈何？」

吳用道：「古之善用兵者，能使寡敵眾，昔晉謝玄五萬人馬，戰退苻堅百萬雄兵，先鋒何為懼哉！可傳令與三軍眾將，來日務要旗幡嚴整，弓弩上弦，刀劍出鞘，深栽鹿角，警守營寨，濠塹齊備，軍器並施，整頓雲梯炮石之類，預先伺候。還只擺『九宮八卦陣勢』，如若他來打陣，依次而起。縱他有百萬之眾，安敢衝突！」宋江道：「軍師言之甚妙。」隨即傳令已畢，諸將三軍，盡皆聽令。五更造飯，平明拔寨都起，前抵昌平縣界，即將軍馬擺開陣勢，紮下營寨。

前面擺列馬軍，還是虎軍大將：秦明在前，呼延灼在後；關勝居左，林沖居右；東南索超，東北徐寧，西南董平，西北楊志。宋江守領中軍，其餘眾將，各依舊職。後面步軍，另做一陣在後，盧俊義、魯智深、武松三個為主。數萬之中，都是能征慣戰之將，個個摩拳擦掌，準備廝殺。陣勢已定，專候番軍。

不多時，遙望遼兵遠遠而來。前面六隊番軍人馬，每隊各有五百，左設三隊，右設三隊，循環往來，其勢不定。此六隊游兵，又號「哨路」，又號「壓陣」。

次後大隊蓋地來時，前軍盡是皂纛旗，一帶有七座旗門，每門有千匹馬，各有一員大將。怎生打扮？

頭頂黑盔，身披玄甲，上穿皂袍，坐騎烏馬。

手中一般軍器，正按北方斗、牛、女、虛、危、室、壁。

七門之內，總設一員把總上將，按上界「北方玄武水星」。怎生打扮？

頭披青絲細髮，黃抹額緊束金箍；身穿禿袖皂袍，烏油甲密鋪銀鎧。

足跨一匹烏騅千里馬，手擎一口黑柄三尖刀。

乃是番將曲利出清，引三千披髮黑甲人馬，按北辰五炁星君。皂旗下軍兵，不計其數。正是：凍雲截斷東方日，黑氣平吞北海風。

左軍盡是青龍旗，一帶也有七座旗門，每門有千匹馬，各有一員大將。怎生打扮？

頭戴四縫盔，身披柳葉甲，上穿翠色袍，下坐青鬃馬。

手拿一般軍器，正按東方角、亢、氐、房、心、尾、箕。

七門之內，總設一員把總大將，按上界「東方蒼龍木星」。怎生打扮？

頭戴獅子盔，身披狻猊鎧，堆翠繡青袍，縷金碧玉帶。

手中月斧金絲桿，身坐龍駒玉塊青。

乃是番將只見拂郎，引三千青色寶幡人馬，按「東震九炁星君」。青旗下左右圍繞軍兵，不計其數。正似翠色點開黃道路，青霞截斷紫雲根。右軍盡是白虎旗，一帶也有七座旗門，每門有千匹馬，各有一員大將。怎生打扮？

頭戴水磨盔，身披爛銀鎧，上穿素羅袍，坐騎雪白馬。

各拿伏手◆軍器，正按西方奎、婁、胃、昴、畢、觜、參。

七門之內，總設一員把總大將，按上界「西方咸池金星」。怎生打扮？

頭頂兜鍪鳳翅盔，身披花銀雙鈎甲，
腰間玉帶迸寒光，稱體素袍飛雪練。
騎一匹照夜玉狻猊馬，使一枝純鋼銀棗槊。
乃是番將烏利可安，引三千白纓素旗人馬，按「西兌七炁◈星君」。白旗
下前後護御軍兵，不計其數。正似征駝捲盡陰山雪，番將斜披玉井冰。
後軍盡是緋紅旗，一帶亦有七座旗門，每門有千匹馬，各有一員大將。
怎生打扮？
頭戴鑌箱朱紅漆笠，身披猩猩血染征袍，
桃紅鎖甲現魚鱗，衝陣龍駒名赤兔。
各搦伏手軍器，正按南方井、鬼、柳、星、張、翼、軫。
七門之內，總設一員把總大將，按上界「南方朱雀火星」。怎生打扮？
頭頂著絳冠，朱纓燦爛；身穿緋紅袍，茜色光輝。

甲披一片紅霞，靴刺數條花縫。

腰間寶帶紅鞓，臂掛硬弓長箭。

手持八尺火龍刀，坐騎一匹胭脂馬。

乃是番將洞仙文榮，引三千紅羅寶幡人馬，按「南離三炁星君」。紅旗下朱纓絳衣軍兵，不計其數。正似離宮走卻六丁神，霹靂震開三昧火。

陣前左有一隊五千猛兵人馬，盡是金縷弁冠◈，鍍金銅甲，緋袍朱纓，火焰紅旗，絳鞍赤馬，簇擁著一員大將。頭戴簇芙蓉如意縷金冠，身披結連環獸面鎖子黃金甲，猩紅烈火繡花袍，碧玉嵌金七寶帶。使兩口日月雙刀，騎一匹五明赤馬。

乃是遼國御弟大王耶律得重，正按上界「太陽星君」，正似金烏擁出扶

◈**炁**——是中國哲學、道教和中醫學中常見的概念，一種形而上的神祕能量，構成人體與宇宙的根本物質。炁音氣。 **伏手**——稱手、順手。

弁冠——玄冠之上，加上皮冠，皮冠形似皮弁。

桑國，火傘初離東海洋。

陣前右設一隊五千女兵人馬，盡是銀花弁冠，銀鉤鎖甲，素袍素纓，白旗白馬，銀桿刀槍，簇擁著一員女將。金鳳釵對插青絲，紅抹額亂鋪珠翠，雲肩巧襯錦裙，繡襖深籠銀甲。小小花靴金鐙穩，翩翩翠袖玉鞭輕。使一口七星寶劍，騎一匹銀鬃白馬。乃是遼國天壽公主答里孛，按上界「太陰星君」。正似玉兔團團離海角，冰輪皎皎照瑤臺。

兩隊陣中，團團一遭，盡是黃旗，簇簇軍將，盡騎黃馬，都披金甲。襯甲袍起一片黃雲，繡包巾散半天黃霧。

黃軍隊中，有軍馬大將四員，各領兵三千，分於四角。每角上一員大將，團團守護。

東南一員大將，青袍金甲，手持寶槍，坐騎粉青馬，立於陣前，按上界「羅睺星君」，乃是遼國皇姪耶律得榮。

西南一員大將、紫袍銀甲，使一口寶刀，坐騎海騮馬，立於陣前，按上界「計都星君」，乃是遼國皇姪耶律得華。

東北一員大將，綠袍銀甲，手執方天畫戟，坐騎五明黃馬，立於陣前，按上界「紫炁星君」，乃是遼國皇姪耶律得忠。

西北一員大將，白袍銅甲，手仗七星寶劍，坐騎踢雲烏騅馬，立於陣前，按上界「月孛星君」，乃是遼國皇姪耶律得信。

黃軍陣內，簇擁著一員上將，左有執青旗，右有持白鉞，前有擎朱幡，後有張皂蓋。周廻旗號，按二十四氣，六十四卦，南辰北斗，飛龍飛虎，飛熊飛豹，明分陰陽左右，暗合璇璣玉衡，乾坤混沌之象。那員上將，使一支朱紅畫桿方天戟。怎生打扮？

頭戴七寶紫金冠，身穿龜背黃金甲，
西川紅錦繡花袍，藍田美玉玲瓏帶。
左懸金畫鐵胎弓，右帶鳳翎鈚子箭。
足穿鷹嘴雲根靴，坐騎鐵脊銀鬃馬。

錦雕鞍穩踏金鐙，紫絲韁牢絆山橋。
腰間掛劍驅番將，手內揮鞭統大軍。

這簇軍馬，光輝四邊，渾如金色，按上界「中宮土星一炁天君」，乃是遼國都統軍大元帥兀顏光。

黃旗之後，中軍是鳳輦龍車，前後左右，七重劍戟槍刀圍繞。九重之內，又有三十六對黃巾力士，推捧車駕，前有九騎金鞍駿馬駕轅，後有八對錦衣衛士隨陣。輦上中間，坐著遼國郎主：頭戴沖天唐巾，身穿九龍黃袍，腰繫藍田玉帶，足穿朱履朝靴。

左右兩個大臣，左丞相幽西孛瑾，右丞相太師褚堅，各戴貂蟬冠，火裙朱服，紫綬金章，象簡玉帶。龍床兩邊，金童玉女，執簡捧珪；龍車前後左右兩邊，簇擁護駕天兵。

遼國郎主，自按上界「北極紫微大帝」，總領鎮星。左右二丞相，按上界「左輔」、「右弼」星君。正是一天星斗離乾位，萬象森羅降世間。有詩為證：

宿曜隨宜列八方，更將土德鎮中央。

胡人從不關天象，何事紛紛瀆上蒼？

那遼國番軍擺列天陣已定，正如雞卵之形，似覆盆之狀，旗排四角，槍擺八方，循環無定，進退有則。宋江看見，便教強弓硬弩，射住陣腳，就中軍豎起雲梯將臺，引吳用、朱武上臺觀望。宋江看了，驚訝不已。朱武看了，認得是天陣，便對宋江、吳用道：「此乃是太乙混天象陣也。」

宋江問道：「如何攻擊？」

朱武道：「此天陣變化無窮，機關莫測，不可造次攻打。」

宋江道：「若不打得開陣勢，如何得他軍退？」

吳用道：「急切不知他陣內虛實，如何便去打得？」

正商議間，兀顏統軍在中軍傳令，今日屬金，可差亢金龍張起、牛金牛薛雄、婁金狗阿哩義、鬼金羊王景四將，跟隨太白金星大將烏利可安，離陣攻打宋兵。

宋江眾將在陣前，望見對陣右軍七門或開或閉，軍中雷響，陣勢團團，那引軍旗在陣內自東轉北，北轉西，西投南。

朱武見了，在馬上道：「此乃是天盤左旋之象。今日屬金，天盤左動，必有兵來。」說猶未了，五炮齊響，早是對陣踴◆出軍來。

中是金星，四下是四宿，引動五隊軍馬，捲殺過來，勢如山倒，力不可當。宋江軍馬，措手不及，望後急退。大隊壓住陣腳，遼兵兩面夾攻，宋江大敗，急忙退兵，回到本寨，遼兵也不來追趕。

點視軍中頭領，孔亮傷刀，李雲中箭，朱富著炮，石勇著槍，中傷軍卒不計其數。隨即發付上車，去後寨令安道全醫治。宋江教前軍下了鐵蒺藜，深栽鹿角，堅守寨門。

宋江在中軍納悶，與盧俊義等商議：「今日折了一陣，如之奈何？再若不出交戰，必來攻打。」

盧俊義道：「來日著兩路軍馬，撞住他那壓陣軍兵；再調兩路軍馬，撞那廝正北七門；卻教步軍從中間打將入去，且看裡面虛實如何。」

宋江道：「也是。」次日便依盧俊義之言，收拾起寨，前至陣前準備，大開寨門，引兵前進。

遙望遼兵不遠，六隊壓陣遼兵，遠探將來。宋江便差關勝在左，呼延灼在右，引本部軍馬，撞退壓陣遼兵。大隊前進，與遼兵相接。宋江再差花榮、秦明、董平、楊志在左，林沖、徐寧、索超、朱仝在右，兩隊軍兵，來撞皂旗七門。果然撞開皂旗陣勢，殺散皂旗人馬，正北七座旗門，隊伍不整。

宋江陣中，卻轉過李逵、樊瑞、鮑旭、項充、李袞五百牌手向前，背後魯智深、武松、楊雄、石秀、解珍、解寶，將帶應有步軍頭目，撞殺入去。

◈踴──跳躍。

混天陣內，只聽四面炮響。東西兩軍，正面黃旗軍撞殺將來，宋江軍馬，抵擋不住，轉身便走。後面架隔不定，大敗奔走，退回原寨。急點軍時，折其大半，杜遷、宋萬又帶重傷，於內不見了黑旋風李逵。

原來李逵殺得性起，只顧砍入他陣裡去，被他撓鈎搭住，活捉去了。宋江在寨中聽得，心中納悶。傳令教先送杜遷、宋萬去後寨，令安道全調治；帶傷馬匹，叫牽去與皇甫端料理。

宋江又與吳用等商議：「今日又折了李逵。輸了這一陣，似此怎生奈何？」

吳用道：「前日我這裡活捉的他那個小將軍，是兀顏統軍的孩兒，正好與他打換。」

宋江道：「這番換了，後來倘若折將，何以解救？」

吳用道：「兄長何故執迷，且顧眼下。」說猶未了，小校來報，有遼將遣使到來打話。

宋江喚入中軍，那番官來與宋江廝見，說道：「俺奉元帥將令，今日拿得你的一個頭目，到俺總兵面前，不肯殺害，好生與他酒肉，管待在那裡；統軍要送來與你，換他孩兒小將軍還他。如是將軍肯時，便送那個頭目來還。」

宋江道：「既是恁地，俺明日取小將軍來到陣前，兩相交換。」番官領了宋江言語，上馬去了。

宋江再與吳用商議道：「我等無計破他陣勢，不若取將小將軍來，就這裡解和這陣，兩邊各自罷戰。」

吳用道：「且將軍馬暫歇，別生良策，再來破敵，未為晚矣。」到曉，差人星夜去取兀顏小將軍來，也差個人直往兀顏統軍處，說知就裡。

且說兀顏統軍，正在帳中坐地，小軍來報，宋先鋒使人來打話。

統軍傳令，教喚入來。到帳前，見了兀顏統軍，說道：「俺的宋先鋒拜意統軍麾下：今送小將軍回來，換俺這個頭目，即今天氣嚴寒，軍士勞苦，兩邊權且罷戰，待來春別作商議，俱免人馬凍傷。請統軍將令。」

兀顏統軍聽了大喝道：「無智辱子！被汝生擒，縱使得活，有何面目見咱！不用相換，便拿下替俺斬了！若要罷戰權歇，教你宋江束手來降，免汝一死。若不如此，吾引大兵一到，寸草不留！」

大喝一聲：「退去！」使者飛馬回寨，將這話訴與宋江。

宋江慌道：「只怕救不得李逵！」拔寨便起，帶了兀顏小將軍，直抵前軍，隔陣大叫：「可放過俺的頭目來，我還你小將軍。不罷戰不妨，自與你對陣廝殺！」

只見遼兵陣中，無移時，把李逵一騎馬送出陣前來。這裡也牽一匹馬，送兀顏小將軍出陣去。兩家如此，一言為定。兩邊一齊同收同放，李將軍回寨，小將軍也騎馬過去了。當日兩邊，都不廝殺，宋江退兵回寨，且與李逵賀喜。

宋江在帳中與諸將相議道：「遼兵勢大，無計可破，使我憂煎，度日如年。怎生奈何？」

呼延灼道：「我等來日可分十隊軍馬：兩路去當壓陣軍兵，八路一齊撞擊，決此一戰。」

宋江道：「全靠你等眾弟兄同心僇力◆，來日必行。」

吳用道：「兩番撞擊不動，不如守等他來交戰。」

宋江道：「等他來，也不是良法，只是眾弟兄當以力敵，豈有連敗之理！」當日傳令，次早拔寨起軍，分作十隊，飛搶前去。兩路先截住後背壓陣軍兵；八路軍馬更不打話，吶喊搖旗，撞入混天陣去。

聽得裡面雷聲高舉，四七二十八門，一齊分開，變作「一字長蛇」之陣，便殺出來。宋江軍馬，措手不及，急令回軍，大敗而走，旗槍不整，金鼓偏斜，速退回來。到得本寨，於路損折軍馬數多。宋江傳令，教軍將緊守山口寨柵，深掘濠塹，牢栽鹿角，堅閉不出，且過冬寒。

卻說副樞密趙安撫，累次申達文書赴京，奏請索取衣襖等件，因此朝廷

◆同心僇力——齊心合力。僇音錄。

特差御前八十萬禁軍槍棒教頭，正受鄭州團練使，姓王，雙名文斌。此人文武雙全，滿朝欽敬，將帶京師一萬餘人，起差民夫車輛，押運衣襖五十萬領，前赴宋先鋒軍前交割，就行催併軍將向前交戰，早奏凱歌。

王文斌領了聖旨文書，將帶隨行軍器，拴束衣甲鞍馬，催趲人夫、軍馬，起運車仗，出東京，望陳橋驛進發。監押著一二百輛車子，上插黃旗，書「御賜衣襖」，迤邐前進，經過去處，自有官司供給口糧。在路非則一日，來到邊庭，參見了趙樞密，呈上中書省公文。

趙安撫看了大喜道：「將軍來得正好。目今宋先鋒被遼國兀顏統軍，把兵馬擺成混天陣勢，連輸了數陣，頭目人等，中傷者多，現今發在此間將養，令安道全醫治。宋先鋒紮寨在永清縣地方，並不敢出戰，好生納悶。」

王文斌稟道：「朝廷因此就差某來，催併軍士向前，早要取勝。今日既然累敗，王某回京師，見省院官難以回奏。文斌不才，自幼頗讀兵書，略曉些陣法，就到軍前，略施小策，願決一陣，與宋先鋒分憂。未知樞相鈞命若何？」

趙樞密大喜，置酒宴賞，就軍中犒勞押車人夫。就教王文斌轉運衣襖，解付宋江軍前給散。趙安撫先使人報知宋先鋒去了。

且說宋江在中軍帳中納悶，聞知趙樞密使人來，轉報東京差教頭鄭州團練使王文斌，押送衣襖五十萬領，就來軍前催併進兵。宋江差人接至寨中下馬，請入帳內，把酒接風。

數杯酒後，詢問緣由。

宋江道：「宋某自蒙朝廷差遣到邊，上托天子洪福，得了四個大郡。今到幽州，不想被番邦兀顏統軍，設此混天象陣，兵屯二十萬，整整齊齊，按周天星象，請啟郎主御駕親征。宋江連敗數陣，無計可施，屯駐不敢輕動。今幸得將軍降臨，願賜指教。」

◆人夫—受徵召服勞役的人。

王文斌道：「量這個混天陣何足為奇！王某不才，同到軍前一觀，別有主見。」

宋江大喜，先令裴宣且將衣襖給散軍將，眾人穿罷，望南謝恩。當日中軍置酒，殷勤管待，就行賞勞三軍。

來日結束，五軍都起。王文斌取過帶來的頭盔衣甲，全副披掛上馬，都到陣前。對陣遼兵望見宋兵出戰，報入中軍。金鼓齊鳴，喊聲大舉，六隊戰馬哨出陣來。宋江分兵殺退。

王文斌上將臺親自看一回，下雲梯來說道：「這個陣勢，也只如常，不見有甚驚人之處。」不想王文斌自己不識，且圖詐人要譽，便叫前軍擂鼓搦戰，對陣番軍也撾鼓鳴金。

宋江立馬大喝道：「不要狐朋狗黨，敢出來挑戰麼？」

說猶未了，黑旗隊裡，第四座門內，飛出一將。那番官披頭散髮，黃羅抹額，襯著金箍烏油鎧甲，禿袖皂袍，騎匹烏騅馬，挺三尖刀，直臨陣前。背後牙將，不計其數。引軍皂旗上書銀字「大將曲利出清」，躍馬陣前搦戰。

王文斌尋思道：「我不就這裡顯揚本事，再於何處施逞？」便挺槍躍馬出陣，與番官更不打話，驟馬相交。

王文斌挺槍便搠，番將舞刀來迎。鬥不到二十餘合，番將回身便走，王文斌見了，便驟馬飛槍，直趕將去。原來番將不輸，特地要賣個破綻，漏他來趕。

番將掄起刀，覷著王文斌較親，翻身背砍一刀，把王文斌連肩和胸脯，砍做兩段，死於馬下。宋江見了，急叫收軍。那遼兵撞掩過來，又折了一陣，慌慌忙忙，收拾還寨。眾多軍將，看見立馬斬了王文斌，面面廝覷，俱各駭然。

宋江回到寨中，動紙文書，申覆趙樞密，說王文斌自願出戰身死，發付帶來人伴回京。趙樞密聽知此事，輾轉憂悶，甚是煩惱，只得寫了申呈奏本，關會省院打發來的人伴回京去了。有詩為證：

趙括徒能讀父書，文斌殞命又何愚。
平時誇口千人有，臨陣成功一個無。

且說宋江自在寨中納悶，百般尋思，無計可施，怎生破得遼兵，寢食俱廢，夢寐不安。是夜嚴冬，天氣甚冷，宋江閉上帳房，秉燭沉吟悶坐。時已二鼓，神思困倦，和衣隱几而臥。覺道寨中狂風忽起，冷氣侵人，宋江起身，見一青衣女童，向前打個稽首。

宋江便問：「童子自何而來？」

童子答曰：「小童奉娘娘法旨，有請將軍，便煩移步。」

宋江道：「娘娘現在何處？」

童子指道：「離此間不遠。」

宋江遂隨童子出得帳房，但見上下天光一色，金碧交加，香風細細，瑞靄飄飄，有如二三月間天氣。行不過二三里多路，見座大林，青松茂盛，翠柏森然，紫桂亭亭，石欄隱隱。兩邊都是茂林修竹，垂柳夭桃◈，曲折欄杆，轉過石橋，朱紅櫺星門一座。

仰觀四面，蕭牆粉壁，畫棟雕梁，金釘朱戶，碧瓦重簷，四邊簾捲蝦鬚，正面窗橫龜背。女童引宋江從左廊下而進，到東向一個閣子前，推開朱戶，教宋江裡面少坐。

舉目望時，四面雲窗寂靜，霞彩滿階，天花繽紛，異香繚繞。

童子進去，復又出來傳旨道：「娘娘有請，星主便行。」

宋江坐未暖席，即時起身。又見外面兩個仙女入來，頭戴芙蓉碧玉冠，身穿金縷絳綃衣，與宋江施禮。宋江不敢仰視。

那兩個仙女道：「將軍何故作謙。娘娘更衣便出，請將軍議論國家大事，便請同行。」宋江唯然而行，聽得殿上金鐘聲響，玉磬音鳴。

青衣迎請宋江上殿。二仙女前進，引宋江自東階而上，行至珠簾之前。

◈夭桃——豔麗的桃花。

宋江只聽得簾內玎璫隱隱，玉珮鏘鏘，青衣請宋江入簾內，跪在香案之前。舉目觀望殿上，祥雲靄靄，紫霧騰騰，正面九龍床上，坐著九天玄女娘娘。頭戴九龍飛鳳冠，身穿七寶龍鳳絳綃衣，腰繫山河日月裙，足穿雲霞珍珠履，手執無瑕白玉珪璋。兩邊侍從女仙約有三、二十個。

玄女娘娘與宋江曰：「吾傳天書與汝，不覺又早數年矣。汝能忠義堅守，未嘗少怠。今宋天子令汝破遼，勝負如何？」

宋江俯伏在地，拜奏曰：「臣自得蒙娘娘賜與天書，未嘗輕慢泄漏於人。今奉天子敕命破遼，不期被兀顏統軍，設此混天象陣，累敗數次。臣無計可施，正在危急之際。」

玄女娘娘曰：「汝知混天象陣法否？」

宋江再拜奏道：「臣乃下土愚人，不曉其法，望乞娘娘賜教。」

玄女娘娘曰：「此陣之法，聚陽象也，只此攻打，永不能破。若欲要破，須取相生相剋之理。且如前面皂旗軍馬內設水星，按上界『北方五炁辰星』。你宋兵中，可選大將七員，黃旗黃甲，黃衣黃馬，撞破遼兵皂旗七門。

「續後命猛將一員，身披黃袍，直取水星，此乃土剋水之義也。卻以白袍軍馬，選將八員，打透他左邊青旗軍陣，此乃金剋木之義也。卻以紅袍軍馬，選將八員，打透他右邊白旗軍陣，此乃火剋金之義也。卻以皂旗軍馬，選將八員，打透他後軍紅旗軍陣，此乃水剋火之義也。卻命一支青旗軍馬，選將九員，直取中央黃旗軍陣主將，此乃木剋土之義也。

「再選兩支軍馬，命一支繡旗花袍軍馬，扮做『羅睺』，獨破遼兵『太陽』軍陣。命一支素旗銀甲軍馬，扮作『計都』，直破遼兵『太陰』軍陣。再造二十四部雷車，按二十四氣上放火石火炮，直推入遼兵中軍。令公孫勝布起風雷天罡正法，逕奔入遼主駕前。可行此計，足取全勝。

「日間不可行兵，須是夜黑可進。汝當親自領兵，掌握中軍，催動人馬，一鼓成功。吾之所言，汝當秘受；保國安民，勿生退悔。天凡有限，從此永別，他日瓊樓金闕，別當重會。汝宜速還，不可久留。」

特命青衣獻茶，宋江吃罷，令青衣即送星主還寨。

宋江再拜，懇謝娘娘，出離殿庭。

青衣前引宋江下殿，從西階而出，轉過欞星紅門，再登舊路。才過石橋松徑，青衣用手指道：「遼兵在那裡，汝當破之！」宋江回顧，青衣用手一推，猛然驚覺，就帳中做了一夢。

靜聽軍中更鼓，已打四更，宋江便叫請軍師圓夢。吳用來到中軍帳內，宋江道：「軍師有計破混天陣否？」

吳學究道：「未有良策可施。」

宋江道：「我已夢玄女娘娘傳與秘訣，尋思定了，特請軍師商議，可以會集諸將，分撥行事。」正是：

動達天機施妙策，擺開星斗破迷關。

畢竟宋江怎生打陣，且聽下回分解。

第八九回　宋公明破陣成功　宿太尉頒恩降詔

話說當下宋江夢中授得九天玄女之法，不忘一句，便請軍師吳用計議定了，中稟趙樞密。寨中合造雷車二十四部，都用畫板鐵葉釘成，下裝油柴，上安火炮，連更曉夜，催併完成。商議打陣，會集諸將人馬，宋江傳令，各各分派。

便點按中央戊己土黃袍軍馬，戰遼國水星陣內，差大將一員雙槍將董平，左右撞破皂旗軍七門，差副將七員，朱仝、史進、歐鵬、鄧飛、燕順、馬麟、穆春。

再點按西方庚辛金白袍軍馬，戰遼國木星陣內，差大將一員，豹子頭林沖，左右撞破青旗軍七門，差副將七員，徐寧、穆弘、黃信、孫立、楊春、陳達、楊林。再點按南方丙丁火紅袍軍馬，戰遼國金星陣內，差大將一員霹靂火秦明，左右撞破白旗軍七門，差副將七員，劉唐、雷橫、單廷珪、魏定國、周通、龔旺、丁得孫。

再點按北方壬癸水黑袍軍馬，戰遼國火星陣內，差大將一員雙鞭呼延灼，左右撞破紅旗軍七門，差副將七員，楊志、索超、韓滔、彭玘、孔明、鄒淵、鄒潤。再點按東方甲乙木青袍軍馬，戰遼國土星主將陣內，差大將一員大刀關勝，左右撞破中軍黃旗主陣人馬，差副將八員，花榮、張清、李應、柴進、宣贊、郝思文、施恩、薛永。

再差一支繡旗花袍軍，打遼國太陽左軍陣內，差大將七員，魯智深、武松、楊雄、石秀、焦挺、湯隆、蔡福。再差一支素袍銀甲軍，打遼國太陰右軍陣中，差大將七員，扈三娘、顧大嫂、孫二娘、王英、孫新、張青、蔡慶。再差打中軍一支悍勇人馬，直擒遼主，差大將六員，盧俊義、燕青、呂方、郭盛、解珍、解寶。再遣護送雷車至中軍，大將五員，李逵、樊瑞、鮑旭、項充、李袞。

其餘水軍頭領，並應有人員，盡到陣前協助破陣。陣前還立五方旗幟八面，分撥人員，仍排九宮八卦陣勢。宋江傳令已罷，眾將各各遵依。一面建造雷車已了，裝載法物，推到陣前。正是：計就驚天地，謀成破鬼神。

且說兀顏統軍，連日見宋江不出交戰，差遣壓陣軍馬，直哨到宋江寨前。宋江連日製造完備，選定日期，是晚起身，來與遼兵相接。一字兒擺開陣勢，前面盡把強弓硬弩，射住陣腳，只待天色傍晚。

黃昏左側，只見朔風凜凜，彤雲密布，罩合天地，未晚先黑。宋江教眾軍人等，斷蘆為笛，銜於口中，唿哨為號。

當夜先分出四路兵去，只留黃袍軍擺在陣前。這分出四路軍馬，趕殺哨路番軍，繞陣腳而走，殺投北去。初更左側，宋江軍中連珠炮響。呼延灼打開陣門，殺入後軍，直取火星。關勝隨即殺入中軍，直取土星主將。林沖引軍殺入左軍陣內，直取木星。秦明領軍撞入右軍陣內，直取金星。董平便調軍攻打頭陣，直取水星。公孫勝在軍中仗劍作法，踏罡步斗，敕起五雷◆。是夜南風大作，吹得樹梢垂地，走石飛沙。

一齊點起二十四部雷車，李逵、樊瑞、鮑旭、項充、李袞將引五百牌手，悍勇軍兵，護送雷車，推入遼軍陣內。一丈青扈三娘引兵便打入遼兵太陰陣中，花和尚魯智深，引兵便打入遼兵太陽陣中。

玉麒麟盧俊義，引領一支軍馬，隨著雷車，直奔中軍，你我自去尋隊廝殺。是夜雷車火起，空中霹靂交加，端的是殺得星移斗轉，日月無光，鬼哭神號，人兵撩亂。

且說兀顏統軍正在中軍遣將，只聽得四下裡喊聲大振，四面廝殺。急上馬時，雷車已到中軍，烈焰漲天，炮聲震地，關勝一支軍馬，早到帳前。兀顏統軍急取方天畫戟，與關勝大戰，怎禁沒羽箭張清取石子望空中亂

◆五雷─五雷是指天雷、神雷、龍雷、水雷、社令雷。

打，打得四邊牙將中傷者多逃命散走。

李應、柴進、宣贊、郝思文縱馬橫刀，亂殺軍將。兀顏統軍見身畔沒了羽翼，撥回馬望北而走，關勝飛馬緊追。正是：饒君走上焰摩天，腳下騰雲須趕上。

花榮在背後見兀顏統軍輸了，一騎馬也追將來，急拈弓搭箭，望兀顏統軍射將去。那箭正中兀顏統軍後心，聽得錚地一聲，火光迸散，正射在護心鏡上。

卻待再射，關勝趕上，提起青龍刀，當頭便砍。那兀顏統軍披著三重鎧甲，貼裡一層連環銅鐵鎧，中間一重海獸皮甲，外面方是鎖子黃金甲。關勝那一刀砍過，只透得兩層。

再復一刀，兀顏統軍就刀影裡閃過，勒馬挺方天戟來迎。兩個又鬥了三五合，花榮趕上，覷兀顏統軍面門，又放一箭。兀顏統軍急躲，那枝箭帶耳根穿住鳳翅金冠。

兀顏統軍急走，張清飛馬趕上，拈起石子，望頭臉上便打。石子飛去，打得兀顏統軍撲在馬上，拖著畫戟而走。關勝趕上，再狠一刀。那青龍刀落處，把兀顏統軍連腰截骨帶頭砍著，攧下馬去。

花榮搶到，先換了那匹好馬。張清趕來，再復一槍。可憐兀顏統軍一世豪傑，一柄刀，一條槍，結果了性命。有詩為證：

李靖六花◈人亦識，孔明八卦世應知。
混天只想無人敵，也有神機打破時。

卻說魯智深引著武松等六員頭領，眾將吶聲喊，殺入遼兵太陽陣內。那耶律得重急待要走，被武松一戒刀，掠斷馬頭，倒撞下馬來，揪住頭髮，一刀取了首級，殺散太陽陣勢。

◈六花—唐代名將李靖在諸葛亮的八陣圖基礎上推衍發明的一種陣法。

魯智深道：「俺們再去中軍，拿了遼主，便是了事也！」

且說遼兵太陰陣中天壽公主，聽得四邊喊起廝殺，慌忙整頓軍器上馬，引女兵伺候。只見一丈青舞起雙刀，縱馬引著顧大嫂等六員頭領殺入帳來，正與天壽公主交鋒。兩個鬥無數合，一丈青放開雙刀，搶入公主懷內，劈胸揪住，兩個在馬上扭做一團，絞做一塊。王矮虎趕上，活捉了天壽公主，顧大嫂、孫二娘在陣裡殺散女兵，孫新、張青、蔡慶在外面夾攻。可憐玉葉金枝女，卻作歸降被縛人。

且說盧俊義引兵殺到中軍，解珍、解寶先把帥字旗砍翻，亂殺番兵番將。當有護駕大臣與眾多牙將，緊護遼國郎主鑾駕，往北而走。陣內羅睺、月孛二皇姪，俱被刺死於馬下；計都皇姪，就馬上活拿了；紫炁皇姪，不知去向。大兵重重圍住，直殺到四更方息，殺得遼兵二十餘萬，七損八傷。

將及天明，諸將都回。宋江鳴金收軍下寨，傳令教生擒活捉之眾，各自獻功。一丈青獻「太陰星」天壽公主，盧俊義獻「計都星」皇姪耶律得華，朱仝獻「水星」曲利出清，歐鵬、鄧飛、馬麟獻「斗木獬」蕭大觀，楊林、陳達獻「心月狐」裴直，單廷珪、魏定國獻「胃土雉」高彪，韓滔、彭玘獻「柳土獐」雷春、「翼火蛇」狄聖。諸將獻首級，不計其數。宋江將生擒八將，盡行解赴趙樞密中軍收禁。所得馬匹，就行俵撥各將騎坐。

且說遼國郎主，慌速退入燕京，急傳旨意，堅閉四門，緊守城池，不出對敵。宋江知得遼主退回燕京，便教軍馬拔寨都起，直追至城下，團團圍住。令人請趙樞密，直至後營監臨打城。宋江傳令，教就燕京城外，團團豎起雲梯炮石，紮下寨柵，準備打城。

遼國郎主心慌，會集群臣商議，都道：「事在危急，莫若歸降大宋，此為上計！」遼主遂從眾議。

於是城上早豎起降旗，差人來宋營求告：「年年進牛馬，歲歲獻珠珍，再不敢侵犯中國。」宋江引著來人，直到後營，拜見趙樞密，通說投降一節。

趙樞密聽了道：「此乃國家大事，須用取自上裁，我未敢擅便主張。你遼國有心投降，可差的當大臣，親赴東京，朝見天子。聖旨准你齎遼國皈降表文，降詔赦罪，方敢退兵罷戰。」

來人領了這話，便入城回覆郎主。

當下國主聚集文武百官，商議此事時，有右丞相太師褚堅出班奏曰：「目今本國兵微將寡，人馬皆無，如何迎敵？論臣愚意，微臣親往宋先鋒寨內，許以厚賄，一面令其住兵停戰，一面收拾禮物，逕往東京，投買省院諸官，令其於天子之前，善言啟奏，別作宛轉。目今中國蔡京、童貫、高俅、楊戩四個賊臣專權，童子皇帝聽他四個主張。可把金帛賄賂與此四人，買其講和，必降詔赦，收兵罷戰。」郎主准奏。

次日，丞相褚堅出城來，直到宋先鋒寨中。宋江接至帳上，便問來意如何。褚堅先說了國主投降一事，然後許宋先鋒金帛玩好之物。宋江聽了，說與丞相褚堅道：「俺連日攻城，不愁打你這個城池不破，一發斬草除根，免了萌芽再發。看見你城上豎起降旗，以此停兵罷戰。兩國交鋒，自古國家有投降之理，准你投拜納降，因此按兵不動，容汝赴朝廷請罪獻納。汝今以賄賂相許，覷宋江為何等之人，再勿復言！」褚堅惶恐。

宋江又道：「容你修表朝京，取自上裁。俺等按兵不動，待汝速去快來，汝勿遲滯！」

◈**的當**──能幹、可靠。　**宛轉**──調停、斡旋。

褚堅拜謝了宋先鋒，作別出寨，上馬回燕京來，奏知國主。眾大臣商議已定，次日遼國君臣，收拾玩好之物，金銀寶貝，綵繒珍珠，裝載上車，差丞相褚堅，並同番官一十五員，前往京師。

鞍馬三十餘騎，修下請罪表章一道，離了燕京，到了宋江寨內，參見了宋江，宋江引褚堅來見趙樞密，說知此事：「遼國今差丞相褚堅，親往京師朝見，告罪投降。」

趙樞密留住褚堅，以禮相待，自來與宋先鋒商議，亦動文書，申達天子。就差柴進、蕭讓齎奏，就帶行軍公文，關會省院，一同相伴丞相褚堅，前往東京。

在路不止一日，早到京師，便將十車進奉金寶禮物，車仗人馬，於館驛內安下。

柴進、蕭讓齎捧行軍公文，先去省院下了，稟說道：「即日兵馬圍困燕京，旦夕可破。遼國郎主於城上豎起降旗，今遣丞相褚堅，前來上表，請罪納降，告赦罷兵。未敢自專，來請聖旨。」省院官說道：「你且與他館驛內權時安歇，待俺這裡從長計議。」此時蔡京、童貫、高俅、楊戩並省院大小官僚，都是好利之徒。

卻說遼國丞相褚堅並眾人先尋門路，見了太師蔡京等四個大臣，次後省院各官處，都有賄賂，個個先以門路餽送禮物諸官已了。

次日早朝，百官朝賀拜舞已畢，樞密使童貫出班奏曰：「有先鋒使宋江殺退遼兵，直至燕京，圍住城池攻擊，旦夕可破。今有遼主早豎降旗，情願投降，遣使丞相褚堅，奉表稱臣，納降請罪，告赦講和，求敕退兵罷戰，情願年年進奉，不敢有違。伏乞聖鑒。」

天子曰：「以此講和，休兵罷戰，汝等眾卿，如何計議？」旁有太師蔡京出班奏曰：「臣等眾官，俱各計議：自古及今，四夷未嘗

◆綵繒──有五色文彩的絲織品。

盡滅，臣等愚意，可存遼國，作北方之屏障，年年進納歲幣，於國有益。合准投降請罪，休兵罷戰，詔回軍馬，以護京師。臣等未敢擅便，乞陛下聖裁。」

天子准奏，傳聖旨令遼國來使面君。當有殿頭官傳令，宣褚堅等一行來使，都到金殿之下，揚塵拜舞，頓首三呼。侍臣呈上表章，就御案上展開。宣表學士高聲讀道：

遼國主臣，耶律輝頓首頓首，百拜上言：

臣生居朔漠，長在番邦，不通聖賢之經，罔究綱常之禮。

詐文偽武，左右多狼心狗行◆之徒；

好賂貪財，前後悉鼠目獐頭之輩。

小臣昏昧，屯眾猖狂。

侵犯疆封，以致天兵討罪；妄驅士馬，動勞王室興師。

量螻蟻安足撼泰山，想眾水必然歸大海。

今特遣使臣褚堅冒於天威，納土請罪。

倘蒙聖上憐憫蕞爾之微生，不廢祖宗之遺業，赦其舊過，開以新圖，退守戎狄之番邦，永作天朝之屏障，老老幼幼，真獲再生，子子孫孫，久遠感戴。進納歲幣，誓不敢違。臣等不勝戰慄屏營◆之至！謹上表以聞。

宣和四年冬月　　日遼國主臣耶律輝表

徽宗天子御覽表文已畢，階下群臣稱賀。天子命取御酒，以賜來使。丞相褚堅等便取金帛歲幣，進在朝前。天子命寶藏庫收訖，仍另納下每年歲幣牛馬等物。天子回賜緞疋表裡，光祿寺賜宴。敕令丞相褚堅等先回：「待寡人差官，自來降詔。」褚堅等謝恩，拜辭出朝，且歸館驛。是日朝散，褚堅又令人再於各官門下，重打關節。蔡京力許令丞相自回，都在我等四人身上。褚堅謝了太師，

◆狼心狗行——心腸似狼，行為如狗。比喻貪婪凶狠，卑鄙無恥。　屏營——惶恐。屏音冰。

自回遼國去了。

卻說蔡太師次日引百官入朝，啟奏降詔，回下遼國。天子准奏，急敕翰林學士草詔一道，就御前便差太尉宿元景齎擎丹詔，直往遼國開讀。

另敕趙樞密令宋先鋒收兵罷戰，班師回京。將應有被擒之人，釋放還國，原奪城池，仍舊給遼管領，府庫器具，交割遼邦歸管。天子退朝，百官皆散。次日，省院諸官都到宿太尉府，約日送行。

再說宿太尉領了詔敕，不敢久停，準備轎馬從人，辭了天子，別了省院諸官，就同柴進、蕭讓同上遼邦，出京師，望陳橋驛投邊塞進發。在路行時，正值嚴冬之月，彤雲密布，瑞雪平鋪，粉塑千林，銀妝萬里。宿太尉一行人馬，冒雪擋風，迤邐前進。雪霽未消，漸臨邊塞。

柴進、蕭讓先使哨馬報知趙樞密，前去通報宋先鋒。宋江見哨馬飛報，便攜酒禮，引眾出五十里伏道迎接。接著宿太尉，相見已畢，把了接風酒，各官俱喜。請至寨中，設筵相待，同議朝廷之事。

宿太尉言說省院等官，蔡京、童貫、高俅、楊戩，俱各受了遼國賄賂，於天子前極力保奏此事，准其投降，休兵罷戰，詔回軍馬，守備京師。

宋江聽了嘆道：「非是宋某怨望朝廷，功勳至此，又成虛度！」

宿太尉道：「先鋒休憂。元景回朝，天子前必當重保。」

趙樞密又道：「放著下官為證，怎肯教虛費了將軍大功！」

宋江稟道：「某等一百八人竭力報國，並無異心，亦無希恩望賜之念。只得眾弟兄同守勞苦，實為幸甚。若得樞相肯做主張，深感厚德。」

當日飲宴，眾皆歡喜，至晚方散。隨即差人一面報知遼國，準備接詔。

次日，宋江撥十員大將，護送宿太尉進遼國頒詔，都是錦袍金甲，戎裝革帶。那十員上將關勝、林沖、秦明、呼延灼、花榮、董平、李應、柴進、呂方、郭盛引領馬步軍三千，護持太尉，前遮後擁，擺布入城。

燕京百姓，有數百年不見中國軍容，聞知太尉到來，盡皆歡喜，排門香花燈燭。遼主親引百官文武，具服乘馬，出南門迎接詔旨，直至金鑾殿上。十員大將，立於左右，宿太尉立於龍亭之左，國主同百官跪於殿前。殿頭官喝拜，國主同文武拜罷。遼國侍郎承恩請詔，就殿上開讀。詔曰：

大宋皇帝制曰：

三皇立位，五帝禪宗，雖中華而有主，豈夷狄之無君？

茲爾遼國，不遵天命，數犯疆封，理合一鼓而滅。

朕今覽其情詞，憐其哀切，憫汝惸◆孤，不忍加誅，仍存其國。

詔書至日，即將軍前所擒之將，盡數釋放還國；

原奪一應城池，仍舊給還本國管領；所供歲幣，慎勿怠忽。

於戲◆！敬事大國，祇畏天地，此藩翰之職也。爾其欽哉！

宣和四年冬月　日

當時遼國侍郎開讀詔旨已罷，郎主與百官再拜謝恩。行君臣禮畢，抬過詔書龍案，郎主便與宿太尉相見。

敘禮已畢，請入後殿，大設華筵，水陸俱備。番官進酒，戎將傳杯；歌舞滿筵，胡笳聒耳；燕姬美女，各奏戎樂；羯鼓◆塤篪◆，胡旋◆慢舞。筵宴已終，送宿太尉並眾將於館驛內安歇，是日跟去人員，都有賞勞。

次日，國主命丞相褚堅出城至寨，邀請趙樞密、宋先鋒同入燕京赴宴。宋江便與軍師吳用計議不行，只請得趙樞密入城，相陪宿太尉飲宴。是日遼國郎主，大張筵席，管待朝使。

葡萄酒熟傾銀甕，黃羊肉美滿金盤；異果堆筵，奇花散彩。筵席將終，只見國主金盤捧出玩好之物，上獻宿太尉、趙樞密，直飲至更深方散。第三日，遼主會集文武群臣，番戎鼓樂，送太尉、樞密出城還寨。再命

◆**惸**—孤獨。　**於戲**—感嘆詞。於戲音嗚呼。
羯鼓—樂器名。源自西域，狀似小鼓，兩面蒙皮，均可擊打。
塤篪—塤、篪皆古代樂器，二者合奏時聲音相應和，常比喻兄弟親密和睦。塤音勳。篪音持。
胡旋—一種古代西北民族的舞蹈。源自康居國，唐時傳入中國。以各種旋轉動作為主。

丞相褚堅，將牛羊馬匹、金銀綵緞等項禮物，直至宋先鋒軍前寨內，大設廣會◆，犒勞三軍，重賞眾將。

宋江傳令，叫取天壽公主一干人口，放回本國，仍將奪過檀州、薊州、霸州、幽州依舊給還遼國管領。一面先送宿太尉還京，次後收拾諸將軍兵車仗人馬，分撥人員，先發中軍軍馬，護送趙樞密起行。

宋先鋒寨內，自己設宴，一面賞勞水軍頭目已了，著令乘駕船隻，從水路先回東京駐紮聽調。

宋江再使人入城中，請出左右二丞相前赴軍中說話。當下遼國郎主教左丞相幽西孛瑾、右丞相太師褚堅，來至宋先鋒行營，至於中軍相見。宋江邀請上帳，分賓而坐。

宋江開話道：「俺武將兵臨城下，將至濠邊，奇功在邇，本不容汝投降，打破城池，盡皆剿滅，正當其理。主帥聽從，容汝申達朝廷。皇上憐憫，存惻隱之心，不肯盡情追殺，准汝投降，納表請罪。今王事已畢，吾待朝京。汝等勿以宋江等輩不能勝爾，再生反覆，年年進貢，不可有缺。吾今班師還國，汝宜謹慎自守，休得故犯，天兵再至，決無輕恕！」二丞相叩首伏罪拜謝。宋江再用好言戒諭，二丞相懇謝而去。

宋江卻撥一隊軍兵，與女將一丈青等先行。隨即喚令隨軍石匠，採石為碑，令蕭讓作文，以記其事。金大堅鐫石已畢，豎立在永清縣東一十五里茅山之下，至今古蹟尚存。有詩為證：

每聞胡馬度陰山，恨殺澶淵◆縱虜還。
誰造茅山功蹟記，寇公◆泉下亦開顏。

宋江卻將軍馬分作五起進發，剋日起行。

◆**澶淵**—地名。位於河北省濮陽縣西南，因古澶水所經而得名。宋真宗與遼人曾會盟於此。
寇公—北宋名相寇準。 **廣會**—盛大的宴會。

只見魯智深忽到帳前，合掌作禮，對宋江道：「小弟自從打死了鎮關西，逃走到代州雁門縣，趙員外送洒家上五臺山，投禮智真長老，落髮為僧。不想醉後兩番鬧了禪門，師父送俺來東京大相國寺，投托智清禪師，討個執事僧做，相國寺裡著洒家看守菜園。

「為救林沖，被高太尉要害，因此落草。得遇哥哥，隨從多時，已經數載，思念本師，一向不曾參禮。洒家常想師父說，俺雖是殺人放火的性，久後卻得正果真身。今日太平無事，兄弟權時告假數日，欲往五臺山參禮本師；就將平昔所得金帛之資，都做布施，再求問師父前程如何。哥哥軍馬只顧前行，小弟隨後便趕來也！」

宋江聽罷愕然，默上心來，便道：「你既有這個活佛羅漢在彼，何不早說，與俺等同去參禮，求問前程。」當時與眾人商議，盡皆要去，惟有公孫勝道教不行。

宋江再與軍師計議：「留下金大堅、皇甫端、蕭讓、樂和四個，委同副先鋒盧俊義掌管軍馬，陸續先行。俺們只帶一千來人，隨從眾弟兄，跟著魯智深，同去參禮智真長老。」宋江等眾，當時離了軍前。收拾名香、彩帛、表裡、金銀，上五臺山來。正是：暫棄金戈甲馬，來遊方外叢林。雨花臺畔，來訪道德高僧；善法堂前，要見燃燈古佛。

直教：

一語打開名利路，片言踢透死生關。

畢竟宋江與魯智深怎地參禪？且聽下回分解。

第九〇回

五臺山宋江參禪
雙林鎮燕青遇故

話說五臺山這個智真長老，原來是故宋時一個當世的活佛，知得過去未來之事。

數載之前，已知魯智深是個了身達命之人，只是俗緣未盡，要還殺生之債，因此教他來塵世中走這一遭。

本人宿根，還有道心，今日起這個念頭，要來參禪投禮本師。宋公明亦是素有善心，因此要同魯智深來參智真長老。

當下宋江與眾將，只帶隨行人馬，同魯智深來到五臺山下，就將人馬屯紮下營，先使人上山報知。宋江等眾兄弟，都脫去戎裝慣帶，各穿隨身衣服，步行上山。轉到山門外，只聽寺內撞鐘擊鼓，眾僧出來迎接，向前與宋江、魯智深等施了禮。數內有認得魯智深的多，又見齊齊整整這許多頭領跟著宋江，盡皆驚訝。

堂頭首座來稟宋江道：「長老坐禪入定，不能相接，將軍切勿見罪。」遂請宋江等先去知客寮內少坐。

供茶罷，侍者出來請道：「長老禪定方回，已在方丈專候，啟請將軍進來。」有宋江等一行百餘人，直到方丈，來參智真長老。

那長老慌忙降階而接，邀至上堂。各施禮罷，宋江看那和尚時，六旬之上，眉髮盡白，骨格清奇，儼然有天臺方廣出山之相。眾人入進方丈之內，宋江便請智真長老上座，焚香禮拜。一行眾將，都已拜罷，魯智深向前插香禮拜。

◈了身達命——徹底了悟，超凡出世。

智真長老道：「徒弟一去數年，殺人放火不易。」魯智深默然無言。宋江向前道：「久聞長老清德，爭奈俗緣淺薄，無路拜見尊顏。今因奉詔破遼到此，得以拜見堂頭大和尚，平生萬幸。智深兄弟，雖是殺人放火，忠心不害良善，今引宋江等眾兄弟來參大師。」智真長老道：「常有高僧到此，亦曾閒論世事，久聞將軍替天行道，忠義根心，吾弟子智深跟著將軍，豈有差錯！」宋江稱謝不已。

魯智深將出一包金銀綵緞來，供獻本師。智真長老道：「吾弟子此物何處得來？無義錢財，決不敢受。」智深稟道：「弟子累經功賞積聚之物，弟子無用，特地將來獻納本師，以充公用。」長老道：「眾亦難消。與汝置經一藏，消滅罪惡，早登善果。」魯智深拜謝已了。宋江亦取金銀綵緞，上獻智真長老，長老堅執不受。宋江稟說：「我師不納，可令庫司辦齋，供獻本寺僧眾。」當日就五臺山寺中宿歇一宵，長老設素齋相待，不在話下。

且說次日庫司辦齋完備，五臺山寺中法堂上鳴鐘擊鼓，智真長老會集眾僧於法堂上，講法參禪。須臾，合寺眾僧都披袈裟坐具，到於法堂中坐下，宋江、魯智深並眾頭領，立於兩邊。引磬◆響處，兩碗紅紗燈籠，引長老上升法座。

智真長老到法座上，先拈信香祝讚道：「此一炷香，伏願皇上聖壽齊天，萬民樂業。再拈信香一炷，願今齋主，身心安樂，壽算延長。再拈信香一炷，願今國安民泰，歲稔年和◆，三教興隆，四方寧靜。」祝讚已罷，就法座而坐。兩下眾僧，打罷問訊，復皆侍立。

宋江向前拈香禮拜畢，合掌近前參禪道：「某有一語，敢問吾師：浮世光陰有限，苦海無邊，人身至微，生死最大。」

◆根心──出自本心。　一藏──指一部藏經。　歲稔年和──指農業豐收。稔，莊稼成熟。

引磬──一種和尚念佛時所用的樂器，形如小碗，用銅製成。

智真長老便答偈曰：

六根束縛多年，四大牽纏已久。

堪嗟石火光中，翻了幾個筋斗。

咦！閻浮世界諸眾生，泥沙堆裡頻哮吼。

長老說偈已畢，宋江禮拜侍立。眾將都向前撚香禮拜，設誓道：「只願弟兄同生同死，世世相逢！」焚香已罷，眾僧皆退，就請去雲堂內赴齋。眾人齋罷，宋江與魯智深跟隨長老來到方丈內。

至晚閒話間，宋江求問長老道：「弟子與魯智深本欲從師數日，指示愚迷，但以統領大軍，不敢久戀。我師語錄，實不省悟。今者拜辭還京，某等眾弟兄此去前程如何，萬望吾師明彰點化。」智真長老命取紙筆，寫出四句偈語：

當風雁影翩，東闕不團圓。隻眼功勞足，雙林福壽全。

寫畢，遞與宋江道：「此是將軍一生之事，可以秘藏，久而必應。」宋江看了，不曉其意，又對長老道：「弟子愚蒙，不悟法語，乞吾師明白開解，以釋憂疑。」

智真長老道：「此乃禪機隱語，汝宜自參，不可明說。」長老說罷，喚過智深近前道：「吾弟子此去，與汝前程永別，正果◈將臨也！與汝四句偈去，收取終身受用。」偈曰：

逢夏而擒，遇臘而執。聽潮而圓，見信而寂。

魯智深拜受偈語，讀了數遍，藏在身邊，拜謝本師。又歇了一宵。次日，宋江、魯智深並吳用等眾頭領辭別長老下山，眾人便出寺來，智真長老並眾僧都送出山門外作別。

◈閻浮——亦稱閻浮提、南閻浮提，為須彌山四方的四洲之一。位於南方的南贍部洲，上面生長許多南贍部樹。閻浮即贍部，樹名。後泛指人間世界。

點化——指點教化。　**正果**——修行者證道，獲得成就，稱為「正果」。後比喻美好的結局。

不說長老眾僧回寺，且說宋江等眾將下到五臺山下，引起軍馬，星火趕來。眾將回到軍前，盧俊義、公孫勝等接著宋江眾將，都相見了。宋江便對盧俊義等說五臺山眾人參禪◆設誓一事，將出禪語與盧俊義、公孫勝看了，皆不曉其意。

蕭讓道：「禪機法語，等閒如何省得？」眾皆驚訝不已。

宋江傳令，催趲軍馬起程。眾將得令，催起三軍人馬，望東京進發。凡經過地方，軍士秋毫無犯，百姓扶老攜幼，來看王師。見宋江等眾將英雄，人人稱獎，個個欽服。宋江等在路行了數日，到一個去處，地名雙林鎮。當有鎮上居民，及近村幾個農夫，都走攏來觀看，宋江等眾兄弟雁行般排著，一對對並轡而行。

正行之間，只見前隊裡一個頭領，滾鞍下馬，向左邊看的人叢裡，扯著一個人叫道：「兄長如何在這裡？」兩個敘了禮，說著話。宋江的馬漸漸近前，看時，卻是浪子燕青和一個人說話。

燕青拱手道：「許兄，此位便是宋先鋒。」宋江勒住馬看那人時，生得：

目炯雙瞳，眉分八字。
七尺長短身材，三牙掩口髭鬚。
戴一頂烏縐紗抹眉頭巾，穿一領皂沿邊褐布道服。
繫一條雜彩呂公絛◈，著一雙方頭青布履。
必非碌碌庸人，定是山林逸士。

宋江見那人相貌古怪，風神爽雅，忙下馬來，躬身施禮道：「敢問高士大名？」那人望宋江便拜道：「聞名久矣！今日得以拜見。」慌得宋江答拜不迭，連忙扶起道：「小可宋江，何勞如此。」

◈**參禪**──佛教徒依禪師的教導修學佛法。
呂公絛──衣帶名。兩頭有五色絲絛，傳說八仙中的呂洞賓常用之，故名。

那人道：「小子姓許，名貫忠，祖貫大名府人氏，今移居山野。昔日與燕將軍交契，不想一別有十數個年頭，不得相聚。後來小子在江湖上，聞得小乙哥在將軍麾下，小子欣慕不已。今聞將軍破遼凱還，小子特來此處瞻望，得見各位英雄，平生有幸。欲邀燕兄到敝廬略敘，不知將軍肯放否？」

燕青亦稟道：「小弟與許兄久別，不意在此相遇，既蒙許兄雅意，小弟只得去一遭。哥哥同眾將先行，小弟隨後趕來。」

宋江猛省道：「兄弟燕青，常道先生英雄肝膽，只恨宋某命薄，無緣得遇，今承垂愛，敢邀同往請教。」

許貫忠辭謝道：「將軍慷慨忠義，許某久欲相侍左右，因老母年過七旬，不敢遠離。」

宋江道：「恁地時，卻不敢相強。」又對燕青說道：「兄弟就回，免得我這裡放心不下，況且到京，倘早晚便要朝見。」

燕青道：「小弟決不敢違哥哥將令。」又去稟知了盧俊義，兩下辭別。

宋江上得馬來，前行的眾頭領已去了一箭之地，見宋江和貫忠說話，都勒馬伺候。當下宋江策馬上前，同眾將進發。

話分兩頭。且說燕青喚一個親隨軍漢，拴縛了行囊，另備了一匹馬，卻把自己的駿馬讓與許貫忠乘坐。到前面酒店裡，脫下戎裝慣帶，穿了隨身便服。兩人各上了馬，軍漢背著包裹，跟隨在後，離了雙林鎮，望西北小路而行。過了些村舍林崗，前面卻是山僻曲折的路。兩個說些舊日交情，胸中肝膽。

出了山僻小路，轉過一條大溪，約行了三十餘里，許貫忠用手指道：「兀那高峻的山中，方是小弟的敝廬在內。」

又行了十數里，才到山中。那山峰巒秀拔，溪澗澄清。燕青正看山景，不覺天色已晚。但見：

落日帶煙生碧霧，斷霞映水散紅光。

◈交契——結交。

原來這座山叫做大伾山，上古大禹聖人導河，曾到此處。《書經》上說道：「至於大伾。」這便是個證見。今屬大名府浚縣地方。話休絮煩。且說許貫忠引了燕青轉過幾個山嘴，來到一個山凹裡，卻有三四里方圓平曠的所在。樹木叢中，閃著兩三處草舍，內中有幾間向南傍溪的茅舍。門外竹籬圍繞，柴扉半掩，修竹蒼松，丹楓翠柏，森密前後。

許貫忠指著說道：「這個便是蝸居。」

燕青看那竹籬內，一個黃髮村童穿一領布衲襖，向地上收拾些曬乾的松枝榾柮◈，堆積於茅簷之下。

聽得馬蹄響，立起身往外看了，叫聲奇怪：「這裡哪得有馬經過！」仔細看時，後面馬上卻是主人。慌忙跑出門外，叉手立著，呆呆地看。原來臨行備馬時，許貫忠說不用鑾鈴，以此至近方覺。二人下了馬，走進竹籬。軍人把馬拴了。二人入得草堂，分賓主坐下。茶罷，貫忠教隨來的軍人卸下鞍轡，把這兩匹馬牽到後面草房中，喚童子尋些草料餵養，仍教軍人前面耳房內歇息。燕青又去拜見了貫忠的老母。貫忠攜著燕青，同到靠東向西的草廬內。推開後窗，卻臨著一溪清水，兩人就倚著窗檻坐地。

賈忠道：「敝廬窄陋，兄長休要笑話！」

燕青答道：「山明水秀，令小弟應接不暇，實在難得。」

賈忠又問些征遼的事。多樣時，童子點上燈來，閉了窗格，掇張桌子，鋪下五六碟菜蔬，又搬出一盤雞、一盤魚及家中藏下的兩樣山果，鏇了一壺熱酒。

賈忠篩了一杯，遞與燕青道：「特地邀兄到此，村醪野菜，豈堪待客！」

燕青稱謝道：「相擾卻是不當。」數杯酒後，窗外月光如畫。燕青推窗看時，又是一般清致。雲輕風靜，月白溪清，水影山光，相映一室。

燕青誇獎不已道：「昔日在大名府，與兄長最為莫逆。自從兄長應武舉後，便不得相見。卻尋這個好去處，何等幽雅。像劣弟恁地東征西逐，怎

◈榾柮——木頭，可當炭用。榾柮音股惰。

得一日清閒？」

貫忠笑道：「宋公明及各位將軍，英雄蓋世，上應罡星，今又威服強虜。像許某蝸伏荒山，哪裡有分毫及得兄等。俺又有幾分兒不合時宜處，每每見奸黨專權，蒙蔽朝廷，因此無志進取，遊蕩江河，到幾個去處，俺也頗頗留心。」說罷大笑，洗盞更酌。

燕青取白金二十兩，送與貫忠道：「些須薄禮，少盡鄙忱。」貫忠堅辭不受。燕青又勸貫忠道：「兄長恁般才略，同小弟到京師覷方便◆，討個出身。」

貫忠嘆口氣說道：「今奸邪當道，妒賢嫉能，如鬼如蜮◆的，都是峨冠博帶；忠良正直的，盡被牢籠陷害。小弟的念頭久灰，兄長到功成名就之日，也宜尋個退步。自古道：飛鳥盡，良弓藏◆。」燕青點頭嗟嘆。兩個說至半夜，方才歇息。

次早洗漱罷，又早擺上飯來，請燕青吃了，便邀燕青去山前山後遊玩。

燕青登高眺望，只見重巒疊嶂，四面皆山，惟有禽聲上下，卻無人跡往來。山中居住的人家，攧倒數過，只有二十餘家。

燕青道：「這裡賽過桃源。」燕青貪看山景，當日天晚，又歇了一宵。

次日，燕青辭別賈忠道：「恐宋先鋒懸念，就此拜別。」賈忠相送出門。

賈忠道：「兄長少待！」

無移時，村童托一軸手卷兒出來，賈忠將來遞與燕青道：「這是小弟近來的幾筆拙畫。兄長到京師，細細的看，日後或者亦有用得著處。」

燕青謝了，教軍人拴縛在行囊內。兩個不忍分手，又同行了一二里。

燕青道：「送君千里，終須一別，不必遠勞，後圖再會。」

◈**覷方便**—瞅個方便的機會。

蜮—傳說中一種會害人的水中毒蟲，形狀似鱉，能含沙射人。蜮音育。

飛鳥盡，良弓藏—飛鳥射盡，彈弓也就藏起來不用了。比喻事成之後，把曾經出過力的人一腳踢開或加以消滅。

兩人各悒怏分手。燕青望許貫忠回去得遠了，方才上馬。便教軍人也上了馬，一齊上路。不則一日，來到東京，恰好宋先鋒屯駐軍馬於陳橋驛，聽候聖旨。燕青入營參見，不題。

且說先是宿太尉並趙樞密中軍人馬入城，已將宋江等功勞奏聞天子。報說宋先鋒等諸將兵馬，班師回軍，已到關外。趙樞密前來啟奏，說宋江等諸將邊庭勞苦之事，天子聞奏，大加稱讚，就傳聖旨，命皇門侍郎宣宋江等面君朝見，都教披掛入城。

宋江等眾將遵奉聖旨，本身披掛，戎裝革帶，頂盔掛甲，身穿錦襖，懸帶金銀牌面，從東華門而入，都至文德殿朝見天子，拜舞起居，三呼萬歲。皇上看了宋江等眾將英雄，盡是錦袍金帶，惟有吳用、公孫勝、魯智深、武松身著本身服色。

天子聖意大喜，乃曰：「寡人多知卿等征進勞苦，邊塞用心，中傷者多，寡人甚為憂慼。」

宋江再拜奏道：「託聖上洪福齊天，臣等眾將雖有中傷，俱各無事。今逆虜投降，邊庭寧息，實陛下威德所致，臣等何勞之有！」再拜稱謝。天子特命省院官計議封爵。

太師蔡京、樞密童貫商議奏道：「宋江等官爵，容臣等酌議奏聞。」天子准奏，仍敕光祿寺大設御宴，欽賞宋江錦袍一領、金甲一副，名馬一匹，盧俊義以下給賞金帛，盡於內府關支。宋江與眾將謝恩已罷，盡出宮禁，都到西華門外，上馬回營安歇，聽候聖旨。不覺的過了數日，那蔡京、童貫等哪裡去議甚麼封爵，只顧延挨。

且說宋江正在營中閒坐，與軍師吳用議論些古今興亡得失的事，只見戴宗、石秀各穿微服來稟道：「小弟輩在營中，兀坐無聊，今日和石秀兄弟閒走一回，特來稟知兄長。」

宋江道：「早些回營，候你們同飲幾杯。」

◆悒怏—憂悶不樂。悒音意。怏音樣。

戴宗和石秀離了陳橋驛，望北緩步行來。過了幾個街坊市井，忽見路旁一個大石碑，碑上有「造字臺」三字，上面又有幾行小字，因風雨剝落，不甚分明。

戴宗仔細看了道：「卻是倉頡造字之處。」

石秀笑道：「俺們用不著他。」兩個笑著，望前又行。到一個去處，偌大一塊空地，地上都是瓦礫。正北上有個石牌坊，橫著一片石板，上鐫「博浪城」三字。

戴宗沉吟了一回，說道：「原來此處是漢留侯擊始皇的所在。」

戴宗嘖嘖稱讚道：「好個留侯！」石秀道：「只可惜這一椎不中！」兩個嗟嘆了一回，說著話，只顧望北走去，離營卻有二十餘里，石秀道：「俺兩個鳥耍了這半日，尋哪裡吃碗酒回營去。」

戴宗道：「兀那前面不是個酒店？」兩個進了酒店，揀個近窗明亮的座頭坐地。戴宗敲著桌子叫道：「將酒來！」

酒保搬了五六碟菜蔬，擺在桌上，問道：「官人打多少酒？」

石秀道：「先打兩角酒下飯，但是下得口的，只顧賣來。」無移時，酒保鏇了兩角酒，一盤牛肉，一盤羊肉，一盤嫩雞。兩個正在那裡吃酒閒話，只見一個漢子托著雨傘杆棒，背個包裹，拽紮起皂衫，腰繫著纏袋，腿絣護膝，八搭麻鞋，走得氣急喘促，進了店門，放下傘棒包裹，便向一個座頭坐下，叫道：「快將些酒肉來！」過賣鏇了一角酒，擺下兩三碟菜蔬。

那漢道：「不必文謅了，有肉快切一盤來，俺吃了，要趕路進城公幹。」拿起酒，大口價吃。

戴宗把眼瞅著，肚裡尋思道：「這鳥是個公人，不知甚麼鳥事？」便向那漢拱手問道：「大哥，甚麼事恁般要緊？」

那漢一頭吃酒吃肉，一頭夾七夾八的說出幾句話來。有分教：宋公明再建奇功，汾沁地重歸大宋。

畢竟那漢說出甚麼話來？且聽下回分解。

第九一回

宋公明兵渡黃河　盧俊義賺城黑夜

話說戴宗、石秀見那漢像個公人打扮，又見他慌慌張張。戴宗問道：「端的是甚麼公幹？」

那漢放下箸，抹抹嘴，對戴宗道：「河北田虎作亂，你也知道麼？」

戴宗道：「俺們也知一二。」

那漢道：「田虎那廝，侵州奪縣，官兵不能抵敵。近日打破蓋州，早晚便要攻打衛州。城中百姓，日夜驚恐，城外居民，四散逃竄。因此本府差俺到省院，投告急公文◆的。」

說罷，便起身，背了包裹，托著傘棒，急急算還酒錢，出門嘆口氣道：「真個是官差不自由！俺們的老小，都在城中。皇天，只願早早發救兵便好！」拽開步，望京城趕去了。

戴宗、石秀得了這個消息，也算還酒錢，離了酒店，回到營中，見宋先鋒報知此事。宋江與吳用商議道：「我等諸將閒居在此，甚是不宜。不若奏聞天子，我等情願起兵前去征進。」

吳用道：「此事須得宿太尉保奏方可。」

當時會集諸將商議，盡皆歡喜。次日，宋江穿了公服，引十數騎入城，直至太尉府前下馬。正值太尉在府，令人傳報。太尉知道，忙教請進。宋江到堂上再拜起居。宿太尉道：「將軍何事光降◈？」

宋江道：「上告恩相，宋某聽得河北田虎造反，占據州郡，擅改年號，侵至蓋州，早晚來打衛州。宋江等人馬久閒，某等情願部領兵馬，前去征剿，盡忠報國。望恩相保奏則個。」

◈告急公文──因急事請求救援的文件、信函。　光降──光臨。

宿太尉聽了大喜道：「將軍等如此忠義，肯替國家出力，宿某當一力保奏。」

宋江謝道：「宋江等屢蒙太尉厚恩，雖銘心鏤骨，不能補報。」宿太尉又令置酒相待。至晚，宋江回營，與眾頭領說知。

卻說宿太尉次日早朝入內，見天子在披香殿。省院官正奏河北田虎造反，占據五府五十六縣，改年建號，自霸稱王。目今打破陵州、懷州震鄰，申文告急。

天子大驚，向百官文武問道：「卿等誰與寡人出力，剿滅此寇？」只見班部叢中閃出宿太尉，執簡當胸，俯伏啟奏道：「臣聞田虎斬木揭竿◆之勢，今已燎原，非猛將雄兵，難以剿滅。今有破遼得勝宋先鋒屯兵城外，乞陛下降敕，遣這支軍馬前去征剿，必成大功。」

天子大喜，即令省院官奉旨出城，宣取宋江、盧俊義直到披香殿下，朝見天子。

拜舞已畢，玉音道：「朕知卿等英雄忠義，今敕卿等征討河北，卿等勿辭勞苦。早奏凱歌而回，朕當優擢。」

宋江、盧俊義叩頭奏道：「臣等蒙聖恩委任，敢不鞠躬盡瘁，死而後已！」

天子龍顏欣悅，降敕封宋江為「平北正先鋒」，盧俊義為副先鋒。各賜御酒、金帶、錦袍、金甲、綵緞。其餘正偏將佐，各賜緞疋銀兩。待奏蕩平，論功升賞，加封官爵。三軍頭目，給賜銀兩，都就於內府關支。限定日期，出師起行。

宋江、盧俊義再拜謝恩，領旨辭朝，上馬回營，升帳而坐。當時會集諸將，盡教收拾鞍馬衣甲，準備起身，征討田虎。

次日，於內府關到賞賜緞疋銀兩，分俵諸將，給散三軍頭目。宋江與吳

◈斬木揭竿──砍削樹木當兵器，舉起竹竿作軍旗。比喻武裝起義。

用計議，著令水軍頭領，整頓戰船先進，自汴河入黃河，至原武縣界，等候大軍到來，接濟渡河。傳令與馬軍頭領，整頓馬匹，水陸並進，船騎同行，準備出師。

且說河北田虎這廝，是威勝州沁源縣一個獵戶，有膂力◈，熟武藝，專一交結惡少。本處萬山環列，易於哨聚。又值水旱頻仍，民窮財盡，人心思亂。田虎乘機糾集亡命，揑造妖言，煽惑愚民。初時擄掠些財物，後來侵州奪縣，官兵不敢當其鋒。

說話的，田虎不過一個獵戶，為何就這般猖獗？

看官聽著：卻因那時文官要錢，武將怕死，各州縣雖有官兵防禦，都是老弱虛冒◈，或一名吃兩三名的兵餉，或勢要人家閒著的伴當，出了十數兩頂首◈，也買一名充當，落得關支些糧餉使用。到得點名操練，卻去雇人答應，上下相蒙，牢不可破。

國家費盡金錢，竟無一毫實用。到那臨陣時節，卻不知廝殺，横的豎的，一見前面塵起炮響，只恨爺娘少生兩隻腳。當時也有幾個軍官引了些兵馬，前去追剿田虎，哪裡敢上前？只是尾其後，東奔西逐，虛張聲勢，甚至殺良冒功。百姓愈加怨恨，反去從賊，以避官兵，所以被他占去了五州五十六縣。

那五州一是威勝，即今時沁州；二是汾陽，即今時汾州；三是昭德，即今時潞安；四是晉寧，即今時平陽；五是蓋州，即今時澤州。那五十六縣，都是這五州管下的屬縣。田虎就汾陽起造宮殿，偽設文武官僚，內相外將，獨霸一方，稱為晉王。兵精將猛，山川險峻，目今分兵兩路，前來侵犯。

再說宋江選日出師，相辭了省院諸官，當有宿太尉親來送行，趙安撫遵旨，至營前賞勞三軍。宋江、盧俊義謝了宿太尉、趙樞密，兵分三隊而進，

◆膂力—體力。　虛冒—假冒、冒充。　頂首—出錢承受他人的職業或財產。

令五虎八驃騎為前部。

五虎將五員：大刀關勝、豹子頭林沖、霹靂火秦明、雙鞭將呼延灼、雙槍將董平。

八驃騎八員：小李廣花榮、金槍手徐寧、青面獸楊志、急先鋒索超、沒羽箭張清、美髯公朱仝、九紋龍史進、沒遮攔穆弘。

令十六彪將為後隊。

小彪將十六員：鎮三山黃信、病尉遲孫立、醜郡馬宣贊、井木犴郝思文、百勝將韓滔、天目將彭玘、聖水將軍單廷珪、神火將魏定國、摩雲金翅歐鵬、火眼狻猊鄧飛、錦毛虎燕順、鐵笛仙馬麟、跳澗虎陳達、白花蛇楊春、錦豹子楊林、小霸王周通。

宋江、盧俊義、吳用、公孫勝及其餘將佐、馬步頭領，統領中軍。當日三聲號炮，金鼓樂器齊鳴，離了陳橋驛，望東北進發。宋江號令嚴明，行伍整肅，所過地方，秋毫無犯，是不必說。兵至原武縣界，縣官出郊迎接，前部哨報本軍頭領船隻，已在河濱等候渡河。

宋江傳令李俊等領水兵六百，分為兩哨，分哨左右。再拘聚些當地船隻，裝載馬匹車仗。宋江等大兵，次第渡過黃河北岸，便令李俊等統領戰船，前至衛州衛河齊取。

宋江兵馬前部，行至衛州屯紮。當有衛州官員，置筵設席，等接宋先鋒到來，請進城中管待，訴說：「田虎賊兵浩大，不可輕敵。澤州是田虎手下偽樞密鈕文忠鎮守，差部下張翔、王吉領兵一萬，來攻本州所屬輝縣；沈安、秦升領兵一萬，來攻懷州屬縣武涉。求先鋒速行解救則個！」

宋江聽罷，回營與吳用商議，發兵前去救應。吳用道：「陵川乃蓋州之要地，不若竟領兵去打陵川，則兩縣之圍自解。」

當下盧俊義道：「小弟不才，願領兵去取陵川。」

宋江大喜，撥盧俊義馬軍一萬，步兵五百。馬軍頭領乃是花榮、秦明、董平、索超、黃信、孫立、楊志、史進、朱仝、穆弘，步軍頭領乃是李逵、鮑旭、項充、李衮、魯智深、武松、劉唐、楊雄、石秀。

次日，盧俊義領兵去了。宋江在帳中，再與吳用計議進兵良策。吳用道：「賊兵久驕，盧先鋒此去，必然成功。只有一件，三晉山川險峻，須得兩個頭領做細作，先去打探山川形勢，方可進兵。」

道猶未了，只見帳前走過燕青稟道：「軍師不消費心，山川形勢，已有在此。」

當下燕青取出一軸手卷，展放桌上。宋江與吳用從頭仔細觀看，卻是三晉山川城池關隘之圖。凡何處可以屯紮，何處可以埋伏，何處可以廝殺，細細的都寫在上面。

吳用驚問道：「此圖何處得來？」

燕青對宋江道：「前日破遼班師，回至雙林鎮，所遇那個姓許雙名貫忠的，他邀小弟到家，臨別時，將此圖相贈。他說是幾筆醜畫，弟回到營中閒坐，偶取來展看，才知是三晉之圖。」

宋江道：「你前日回來，正值收拾朝見，忙忙地不曾問得備細。我看此人也是個好漢，你平日也常對我說他的好處，他如今何所作為？」

燕青道：「貫忠博學多才，也好武藝，有肝膽，其餘小伎◆，琴弈丹青，件件都省得。因他不願出仕，山居幽僻。」及相敘的言語，備細說了一遍。

吳用道：「誠天下有心人也。」宋江、吳用嗟嘆稱揚不已。

且說盧俊義領了兵馬，先令黃信、孫立領三千兵去陵川城東五里外埋伏，史進、楊志領三千軍去陵川城西五里外埋伏。「今夜五鼓，銜枚摘鈴，悄地各去。明日我等進兵，敵人若無準備，我兵已得城池，只看南門旗

◆伎——技藝、才能。通「技」。

號，眾頭領領了軍馬，徐徐進城。倘敵人有準備，放炮為號，兩路一齊殺出接應。」四將領計去了。盧俊義次早五更造飯，平明軍馬直逼陵川城下，兵分三隊，一帶兒擺開，搖旗擂鼓搦戰。

守城軍慌得飛去報知守將董澄及偏將沈驥、耿恭。那董澄是鈕文忠部下先鋒，身長九尺，膂力過人，使一口三十斤重潑風刀。當下聽得報宋朝調遣梁山泊兵馬，已到城下紮營，要來打城，董澄急升帳整點軍馬，出城迎敵。

耿恭諫道：「某聞宋江這夥英雄，不可輕敵，只宜堅守。差人去蓋州求取救兵到來，內外夾攻，方能取勝。」

董澄大怒道：「叵耐那廝小覷俺這裡，怎敢就來攻城！彼遠來必疲，待俺出去，教他片甲不回！」耿恭苦諫不聽。

董澄道：「既如此，留下一千軍馬與你城中守護。你去城樓坐著，看俺殺那廝。」

急披掛提刀，同沈驥領兵出城迎敵。城門開處，放下吊橋，二三千兵馬，擁過吊橋。宋軍陣裡，用強弓硬弩，射住陣腳。只聽得鼙鼓鼕鼕，陵川陣中捧出一員將來。怎生打扮？

戴一頂點金束髮渾鐵盔，頂上撒斗來大小紅纓。
披一副擺連環鎖子鐵甲，穿一領繡雲霞團花戰袍，
著一雙斜皮嵌線雲跟靴，繫一條紅鞓釘就疊勝帶。
一張弓，一壺箭。騎一匹銀色捲毛馬，手使一口潑風刀。

董澄立馬橫刀，大叫道：「水泊草寇，到此送死！」朱仝縱馬喝道：「天兵到此，早早下馬受縛，免汙刀斧！」兩軍吶喊。朱仝、董澄搶到垓心，兩馬相交，兩器並舉，二將鬥不過十餘合，朱仝撥馬望東便走，董澄趕來。東隊裡花榮挺槍接住廝殺，鬥到三十餘合，不分勝敗。吊橋邊沈驥見董澄不能取勝，掄起出白點鋼槍，拍馬向前助戰。花榮見兩個夾攻，撥馬望東便走。董澄、沈驥緊緊趕來，花榮回馬再戰。

耿恭在城頭上，看見董澄、沈驥趕去，恐怕有失，正欲鳴鼓收兵。宋軍隊裡，忽衝出一彪軍來，李逵、魯智深、鮑旭、項充等十數個頭領，飛也似搶過吊橋來，北兵怎當得這樣凶猛，不能攔擋。耿恭急叫閉門，說時遲那時快，魯智深、李逵早已搶入城來。

守門軍一齊向前，被智深大叫一聲，一禪杖打翻了兩個；李逵掄斧，劈倒五六個。鮑旭等一擁而入。奪了城門，殺散軍士。耿恭見頭勢不好，急滾下來，望北要走，被步軍趕上活捉了。

董澄、沈驥正鬥花榮，聽得吊橋邊喊起，急回馬趕去。花榮不去追趕，就了事環帶住鋼槍，拈弓取箭，覷定董澄，望董澄後心颼的一箭，董澄兩腳蹬空，撲通的倒撞下馬來。盧俊義等招動軍馬，掩殺過來，沈驥被董平一槍戳死。陵川兵馬，殺死大半，其餘的四散逃竄去了。

眾將領兵，一齊進城。黑旋風李逵兀是火剌剌的只顧砍殺，盧俊義連叫：「兄弟，不要殺害百姓！」李逵方肯住手。

盧俊義教軍士快於南門豎立認軍旗號，好教兩路伏兵知道，再分撥軍士各門把守。少頃，黃信、孫立、史進、楊志兩路伏兵一齊都到。花榮獻董澄首級，董平獻沈驥首級，鮑旭等活捉得耿恭並部下幾個頭目解來。盧先鋒都教解了綁縛，扶耿恭於客位，分賓主而坐。

耿恭拜謝道：「被擒之將，反蒙厚禮相待。」

盧俊義扶起道：「將軍不出城迎敵，良有深意，豈董澄輩可比。宋先鋒招賢納士，將軍若肯歸順天朝，宋先鋒必行保奏重用。」

耿恭叩領謝道：「既蒙不殺之恩，願為麾下小卒。」盧俊義大喜，再用好言撫慰了這幾個頭目，一面出榜安民，一面備辦酒食，犒勞軍士，置酒管待耿恭及眾將。

盧俊義問耿恭蓋州城中兵將多寡。耿恭道：「蓋州有鈕樞密重兵鎮守，陽城、沈水俱在蓋州之西。惟高平縣去此只六十里遠近，城池傍著韓王山，守將張禮、趙能，部下有二萬軍馬。」

盧先鋒聽罷，舉杯向耿恭道：「將軍滿飲此杯。只今夜盧某便要將軍去幹一件功勞，萬勿推卻。」

耿恭道：「蒙先鋒如此厚恩，耿恭敢不盡心！」

盧俊義喜道：「將軍既肯去，盧某撥幾個兄弟，並將軍部下頭目，依著盧某如此如此，即刻就煩起身。」又喚過那新降的六七個頭目，各賞酒食銀兩，功成另行重賞。

當下酒罷，盧俊義傳令李逵、鮑旭等七個步兵頭領並一百名步兵，穿換了陵川軍卒的衣甲旗號，又令史進、楊志領五百馬軍，銜枚摘鈴，遠遠地隨在耿恭兵後。卻令花榮等眾將，在城鎮守，自己領三千兵，隨後接應。

分撥已定，耿恭等領計出城，日色已晚，行至高平城南門外，已是黃昏時候。星光之下，望城上旗幟森密，聽城中更鼓嚴明。

耿恭到城下高叫道：「我是陵川守將耿恭，只為董、沈二將不肯聽我說話，開門輕敵，以此失陷。我急領了這百餘人，開北門從小路潛走至此，快放我進城則個！」

守城軍士把火照認了，急去報知張禮、趙能。那張禮、趙能親上城樓，軍士打著數把火炬，前後照耀。張禮向下對耿恭道：「雖是自家人馬，也要看個明白。」

望下仔細辨認，真個是陵川耿恭，領著百餘軍卒，號衣旗幟，無半點差錯。城上軍人多有認得頭目的，便指道：「這個是孫如虎。」又道：「這個是李擒龍。」

張禮笑道：「放他進來！」只見城門開處，放下吊橋，又令三、四十個軍士，把住吊橋兩邊，方才放耿恭進城。

後面那些軍人，一擁搶進道：「快進去！快進去！後面追趕來了。」也不顧甚麼耿將軍，把門軍士喝道：「這是甚麼去處？這般亂竄！」

正在那裡爭讓，只見韓王山嘴邊火起，飛出一彪軍馬來，二將當先，大喊：「賊將休走！」

那耿恭的軍卒內，已混著李逵、鮑旭、項充、李袞、劉唐、楊雄、石秀這七個大蟲在內。當時各掣出兵器，發聲喊，百餘人一齊發作，搶進城來。城中措手不及，哪裡關得城門迭？城門內外軍士早被他們砍翻數十個，奪了城門。張禮叫苦不迭，急挺槍下城來尋耿恭，正撞著石秀。鬥了三五合，張禮無心戀戰，拖槍便走，被李逵趕上，卡察的一斧，剁為兩段。

再說韓王山嘴邊那彪軍飛到城邊，一擁而入，正是史進、楊志，分頭趕殺北兵。趙能被亂兵所殺。高平軍士，殺死大半，把張禮老小，盡行誅戮。城中百姓，在睡夢裡驚醒，號哭震天。須臾，盧先鋒領兵也到了，下令守把各門，教十數個軍士分頭高叫，不得殺害百姓。

天明，出榜安民，賞賜軍士，差人飛報宋先鋒知道。為何盧俊義攻破兩座城池，恁般容易？恁般神速？卻因田虎部下縱橫，久無敵手，輕視官軍，卻不知宋江等眾將如此英雄。盧俊義得了這個竅，出其不意，連破二城，所以吳用說盧先鋒此去一定成功。

話休絮煩。且說宋江軍馬屯紥衛州城外。宋先鋒正在帳中議事，忽報盧先鋒差人飛報捷音，並乞宋先鋒再議進兵之策。

宋江大喜，對吳用道：「盧先鋒一日連克二城，賊已喪膽。」正說間，又有兩路哨軍報道：「輝縣、武涉兩處圍城兵馬，聞陵川失守，都解圍去了。」

宋江對吳用道：「軍師神算，古今罕有！」欲拔寨西行，與盧先鋒合兵一處，計議進兵。

吳用道：「衛州左孟門，右太行，南濱大河，西壓上黨，地當衝要。倘賊人知大兵西去，從昭德提兵南下，我兵東西不能相顧，將如之何？」

宋江道：「軍師之言最當！」便令關勝、呼延灼、公孫勝領五千軍馬，鎮守衛州，再令水軍頭領李俊、二張、三阮、二童統領水軍船隻，泊聚衛河，與城內相為犄角。分撥已定，諸將領命去了。

宋江眾將，統領大兵，即日拔寨起行。於路無話。來到高平，盧俊義等出城迎接。宋江道：「兄弟們連克二城，功勞不小，功績簿上，都一一記錄。」盧俊義領新降將耿恭參見。

宋江道：「將軍棄邪歸正，與宋某等同替國家出力，朝廷自當重用。」耿恭拜謝侍立。宋江以人馬眾多，不便入城，就於城外紮寨。即日與吳用、盧俊義商議，如今當去打哪個州郡。

吳用道：「蓋州山高澗深，道路險阻，今已克了兩個屬縣，其勢已孤。當先取蓋州，以分敵勢，然後分兵兩路夾剿，威勝可破也。」

宋江道：「先生之言，正合我意。」傳令柴進同李應去守陵川，替回花榮等六將前來聽用，史進同穆弘守高平。柴進等四人遵令去了。

當下有沒羽箭張清稟道：「小將兩日感冒風寒，欲於高平暫住，調攝痊可，赴營聽用。」宋江便教神醫安道全，同張清往高平療治。

次日，花榮等已到。宋江令花榮、秦明、索超、孫立領兵五千為先鋒，董平、楊志、朱仝、史進、穆弘、韓滔、彭玘領兵一萬為左翼，黃信、林沖、宣贊、郝思文、歐鵬、鄧飛領兵一萬為右翼，徐寧、燕順、馬麟、陳達、楊春、楊林、周通、李忠為後隊，宋江、盧俊義等其餘將佐，統領大兵為中軍。

這五路雄兵，殺奔蓋州來，卻似龍離大海，虎出深林。正是：

人人要建封侯績，個個思成蕩寇功。

畢竟宋江兵馬如何攻打蓋州？且聽下回分解。

第九二回

振軍威小李廣神箭　打蓋郡智多星密籌

話說宋江統領軍兵人馬，分五隊進發，來打蓋州。蓋州哨探軍人，探聽得實，飛報入城來。

城中守將鈕文忠，原是綠林中出身，江湖上打劫的金銀財物，盡行資助田虎，同謀造反，占據宋朝州郡，因此官封樞密使之職。慣使一把三尖兩刃刀，武藝出眾。

部下管領著猛將四員，名號四威將，協同鎮守蓋州。哪四員？「猊威將」方瓊，「貔威將」安士榮，「彪威將」褚亨，「熊威將」于玉麟。

這四威將手下，各有偏將四員，共偏將一十六員。乃是：楊端、郭信、蘇吉、張翔、方順、沈安、盧元、王吉、石敬、秦升、莫真、盛本、赫仁、曹洪、石遜、桑英。

鈕文忠同正偏將佐，統領著三萬北兵，據守蓋州。近聞陵川、高平失守，一面準備迎敵官軍，一面申文去威勝、晉寧兩處，告急求救。當下聞報，即遣正將方瓊，偏將楊端、郭信、蘇吉、張翔領兵五千，出城迎敵。臨行鈕文忠道：「將軍在意，我隨後領兵接應。」

方瓊道：「不消樞密吩咐，那兩處城池，非緣力不能敵，都中了他詭計。方某今日不殺他幾個，誓不回城。」

當下個個披掛上馬，領兵出東門，殺奔前來。宋兵前隊迎著，擺開陣勢，戰鼓喧天。北陣裡門旗開處，方瓊出馬，當先四員偏將，簇擁在左右。那方瓊頭戴捲雲冠，披掛龍鱗甲，身穿綠錦袍，腰繫獅蠻帶，足穿抹綠靴。左掛弓，右懸箭，跨一匹黃鬃馬，拈一條渾鐵槍，高叫道：「水洼草寇，怎敢用詭計賺我城池！」

宋陣中孫立喝道：「助逆反賊，今天兵到來，尚不知死！」拍馬直搶方瓊。

二將在征塵影裡，殺氣叢中，鬥過三十餘合，方瓊漸漸力怯。北軍陣中，張翔見方瓊鬥不過孫立，他便拈起弓，搭上箭，把馬挨出陣前，向孫立颼的一箭。孫立早已看見，把馬頭一提，正射中馬眼，那馬直立起來。孫立跳在一邊，拈著槍，便來步鬥。那馬負痛，望北跑了十數步便倒。

張翔見射不倒孫立，飛馬提刀，又來助戰，卻得秦明接住廝殺。孫立欲歸陣換馬，被方瓊一條槍不離左右的絞住，不能脫身。

那邊惱犯了神臂將花榮，罵道：「賊將怎敢放暗箭，教他認我一箭！」口裡說著，手裡的弓已開得滿滿地，覷定方瓊較親，颼的只一箭，正中方瓊面門，翻身落馬。孫立趕上，一槍結果，急回本陣換馬去了。

張翔與秦明廝殺，秦明那條棍不離張翔的頂門上下，張翔只辦得架隔遮攔。又見方瓊落馬，心中懼怯，漸漸輸將下來。北陣裡郭信拍馬拈槍，來助張翔。秦明力敵二將，全無懼怯，三匹馬丁字兒擺開，在陣前廝殺。

花榮再取第二枝箭，搭上弦，望張翔後心覷得親切，弓開滿月，箭發流星，颼的又一箭，喝聲道：「認箭！」正中張翔後心，射個透明，那枝箭直透前胸而出，頭盔倒掛，兩腳蹬空，撲通的撞下馬來。

郭信見張翔中箭，賣個破綻，撥馬望本陣便走，秦明緊緊趕去。此時孫立已換馬出陣，同花榮、索超招兵捲殺過來，北兵大亂。那邊楊端、郭信、蘇吉抵擋不住，望後急退。

猛聽得北兵後面，喊聲大振，卻是鈕文忠恐方瓊有失，令安士榮、于玉麟各領五千軍馬，分兩路合殺攏來。這裡花榮等四將急分兵抵敵，卻被那楊端、郭信、蘇吉勒轉兵馬，回身殺來。當不得三面夾攻，花榮等四將奮力衝突，看看圍在垓心。

又聽得東邊喊殺連天，北軍大亂，左是董平等七將，右是黃信等七將，兩翼兵馬，一齊衝殺過來，北兵大敗，殺死者甚多。安士榮、于玉麟等，領兵急擁進城，閉了城門。宋兵追至城下，城上檑木炮石打將下來，宋兵方退。

須臾，宋先鋒等大兵，都到離城五里屯紮。宋江升帳，教蕭讓標寫花榮頭功。忽然起一陣怪風，飛土揚塵，從西過東，把旗幟都搖撼得歪邪。吳用道：「這陣風，今夜必主賊兵劫寨，可速準備。」宋江道：「這陣風，真個不比尋常！」便令歐鵬、鄧飛、燕順、馬麟領三千兵於寨左埋伏，王英、陳達、楊春、李忠領三千兵於寨右埋伏，魯智深、武松、李逵、鮑旭、項充、李袞領兵五百，於寨中埋伏，炮響為號，一齊殺出。分撥已了，宋江與吳用秉燭談兵。

且說鈕文忠見折了三將，計點軍士，折去二千餘名。正在帳中納悶，當有貔威將安士榮獻計道：「恩相放心！宋江這夥連贏了幾陣，已是志驕氣滿，必無準備。今夜，安某領一支兵去劫寨，可獲全勝，以報今日之仇。」

鈕樞密道：「將軍若去，我當親自領兵接應，卻令于、褚二將軍堅守城池。」

安士榮大喜道：「若得恩相親征，必擒宋江。」

計議已定，至二更時分，安士榮同偏將沈安、盧元、王吉、石敬統領五千軍馬，人披軟戰，馬摘鑾鈴，出得城來，銜枚疾走，直至宋兵寨前，發聲喊，一擁殺入寨來。只見寨門大開，寨中燈燭輝煌，安士榮情知中計，急退不迭。

宋寨中一聲炮響，左有燕順等四將，右有王英等四將，一齊奔殺攏來。寨內李逵等六將，領蠻牌步兵，滾殺出寨來。北軍大敗，四散逃命。沈安被武松一戒刀砍死，王吉被王英殺死，宋兵把安士榮、盧元、石敬人馬圍在垓心。看看危急，卻得鈕文忠同偏將曹洪、石遜領兵救應，混殺一場，各自收兵。

次日，鈕文忠計點軍士，折去千餘。又折了沈安、王吉二將，石遜身帶重傷，命在呼吸。正憂悶間，忽報威勝有使命擎齎令旨到來。鈕文忠連忙上馬，出北門迎接。

使臣進城，宣讀令旨，說近來司天監夜觀天象，有罡星入犯晉地分野，務宜堅守城池，不得有誤。鈕文忠訴說宋朝差宋江等兵馬前來廝殺，連破兩個城池。宋兵已到這裡，昨日廝殺，又折了正偏將佐五員，若得救兵早到，方保無虞。

使臣道：「在下離威勝時，尚未有這個消息。行至中路，始聽得傳說宋朝遣兵到俺這裡。」鈕文忠設宴管待，餽送禮物，一面準備檑木炮石，強弓硬弩，火箭火器，堅守城池，以待救兵，不在話下。

再說燕順、王英等眾將，殺散劫寨賊兵，得勝回寨。次日，宋江傳令，修治轒轀、器械，準備攻城。令林沖、索超、宣贊、郝思文領兵一萬，攻打東門；徐寧、秦明、韓滔、彭玘領兵一萬，攻打南門；董平、楊志、單廷珪、魏定國領兵一萬，攻打西門。

卻空著北門，恐有救兵到來，城內衝突，兩路受敵。卻令史進、朱仝、穆弘、馬麟領兵五千，於城東北高岡下埋伏；黃信、孫立、歐鵬、鄧飛領兵五千，於城西北密林裡埋伏。

倘賊人調遣救兵至，兩路夾擊。令花榮、王英、張青、孫新、李立領馬兵一千為游騎，往來四門探聽；李逵、鮑旭、項充、李袞、劉唐、雷橫領步兵三百，與花榮等互相策應。

分撥已定，眾將遵令去了。宋江與盧俊義、吳用等正偏將佐，移紮營寨城東一里外；令李雲、湯隆督修雲梯飛樓，推赴各營駕用。

卻說林沖等四將在東城建豎雲梯飛樓，逼近城垣，令輕捷軍士上飛樓，

◈轒轀──古代攻城所用的四輪車。以粗木編排而成，上以生牛皮覆蓋，下可藏兵士，往來運土築工事，敵人箭矢、木石無法傷害。轒音墳。轀音溫。

攀援欲上，下面吶喊助威。

怎禁得城內火箭如飛蝗般射出來，軍士躲避不迭。無移時，那飛樓已被燒燬，勿喇喇傾折下來，軍士跌死了五六名，受傷十數名。西南二處攻打，亦被火箭火炮傷損軍士。為是一連六七日攻打不下。

宋江見攻城不克，同盧俊義、吳用親到南門城下，催督攻城，只見花榮等五將，領游騎從西哨探過東來，城樓上于玉麟同偏將楊端、郭信，監軍士守禦。

楊端望見花榮漸近城樓，便道：「前日被他一連傷了二將，今日與他報仇則個！」急拈起弓，搭上箭，望著花榮前心颼的一箭射來。

花榮聽得弓弦響，把身望後一倒，那枝箭卻好射到，順手只一綽，綽了那枝箭，咬在口裡；起身把槍帶在了事環上，左手拈弓，右手就取那枝箭，搭上弦，覷定楊端較親，只一箭，正中楊端咽喉，撲通的望後便倒。

花榮大叫：「鼠輩◆怎敢放冷箭，教你一個個都死！」把右手去取箭，卻待要再射時，只聽得城樓上發聲喊，幾個軍士一齊都滾下樓去。于玉麟、郭信嚇得面如土色，躲避不迭。

花榮冷笑道：「今日認得『神箭將軍』了！」宋江、盧俊義喝采不已。吳用道：「兄長，我等卻好同花將軍去看視城垣形勢。」花榮等擁護著宋江、盧俊義、吳用，繞城周匝看了一遍。

宋江、盧俊義、吳用回到寨中，吳用喚陵川降將耿恭，問蓋州城中路徑。耿恭道：「鈕文忠將舊州治做帥府，當城之中。城北有幾個廟宇，空處卻都是草場。」

吳用聽罷，對宋江計議，便喚時遷、石秀近前密語道：「如此依計，往花榮軍前密傳將令，相機行事。」

再喚凌振、解珍、解寶領二百名軍士，攜帶轟天子母大小號炮，如此前

◆鼠輩──小人，為罵人的話。

去。教魯智深、武松帶領金鼓手三百名，劉唐、楊雄、郁保四、段景住每人帶領二百名軍士，各備火把，往東南西北，依計而行。又令戴宗往東西南三營，密傳號令，只看城中火起，併力攻城。分撥已定，眾頭領遵令去了。

且說鈕文忠日夜指望救兵，毫無消耗，十分憂悶。添撥軍士，搬運木石，上城堅守。至夜黃昏時分，猛聽得北門外喊聲振天，鼓角齊鳴。鈕文忠馳往北門，上城眺望時，喊聲金鼓都息了，卻不知何處兵馬。正疑慮間，城南喊聲又起，金鼓振天。鈕文忠令于玉麟堅守北門，自己急馳兵至南城看時，喊聲已息，金鼓也不鳴了。鈕文忠眺望多時，惟聽得宋軍南營裡隱隱更鼓之聲，靜悄悄地，火光兒也沒半點。徐徐下城，欲到帥府前點視，猛聽得東門外連珠炮響，城西吶喊，擂鼓喧天價起。鈕文忠東奔西逐，直鬧到天明。宋兵又來攻城，至夜方退。是夜一鼓時分，又聽得鼓角喊聲，鈕文忠道：「這廝是疑兵之計，不要睬他，俺這裡只堅守城池，看他怎地。」

忽報東門火光燭天，火把不計其數，飛樓雲梯，逼近城來。鈕文忠聞報，馳往東城，同褚亨、石敬、秦升督軍士用火箭炮石正在打射，猛可的一聲火炮，響振山谷，把城樓也振動，城內軍民，十分驚恐。如是的蒿惱了兩夜，天明又來攻城，軍士時刻不得合眼，鈕文忠也時刻在城巡視。忽望見西北上旌旗蔽日遮天，望東南而來，宋兵中十數騎哨馬，飛也似投大寨去了。鈕文忠料是救兵，遣于玉麟準備出城接應。

卻說西北上那支軍馬，乃是晉寧守將田虎的兄弟三大王田彪，接了蓋州求救文書，便遣部下猛將鳳翔、王遠，領兵二萬，前來救援。已過陽城，望蓋州進發，離城尚有十餘里，猛聽得一聲炮響，東西高岡下密林中，飛出兩彪軍來，卻是史進、朱仝、穆弘、馬麟、黃信、孫立、歐鵬、鄧飛八員猛將，一萬雄兵，捲殺過來。

晉寧兵雖是二萬，遠來勞困，怎當得這裡埋伏了十餘日，養成精銳，兩路夾攻。晉寧軍大敗，棄下金鼓、旗槍、盔甲、馬匹無數，軍士殺死大半，鳳翔、王遠脫逃性命，領了敗殘頭目士卒，仍回晉寧去了，不題。

再說鈕文忠見兩軍截住廝殺，急遣于玉麟領兵開北門殺出接應，那北門卻是無兵攻打。于玉麟領兵出城，才過吊橋，正遇著花榮游騎從西而來。北軍大叫：「神箭將軍來了！」慌得急退不迭，一擁亂搶進城去。于玉麟已是在南城嚇破了膽，哪裡敢來交戰，也跑進城去。花榮等衝過來，殺死二十餘人，不去趕殺，讓他進城。城中急急閉門。

那時石秀、時遷穿了北軍號衣，已混入城。時遷、石秀進得城門，趁鬧哄裡溜進小巷；轉過那條巷，卻有一個神祠，牌額上寫道「當境土地神祠」。時遷、石秀踅進祠來，見一個道人在東壁下向火。那道人看見兩個軍士進祠來，便道：「長官，外面消息如何？」軍人道：「適才俺們被于將軍點去廝殺，卻撞著了那神箭將軍，于將軍也不敢與他交鋒。俺們亂搶進城，卻被俺趁鬧閃到這裡。」便向身邊取出兩塊散碎銀，遞與道人說：「你有藏下的酒，胡亂把兩碗我們吃，其實寒冷。」

那人笑將起來道：「長官，你不知這幾日軍情緊急，神道的香火也一些沒有，哪討半滴酒來？」便把銀遞還時遷。

石秀推住他的手道：「這點兒你且收著，卻再理會。我們連日守城辛苦，時刻不得合眼，今夜權在這裡睡了，明早便去。」

那道人搖著手道：「二位長官莫怪！鈕將軍軍令嚴緊，少頃便來查看。我若留二位在此，都不能個乾淨。」

時遷道：「恁般說，且再處。」

石秀便挨在道人身邊，也去向火。時遷張望前後無人，對石秀丟個眼色，石秀暗地取出佩刀。那道人只顧向火，被石秀從背後卡察的一刀，割下頭來，便把祠門拴了。此時已是酉牌時分，時遷轉過神廚，後壁卻有門戶。戶外小小一個天井，屋簷下堆積兩堆兒亂草。

時遷、石秀搬將出來，遮蓋了道人屍首，開了祠門，從後面天井中爬上屋去。兩個伏在脊下，仰看天邊明朗朗地現出數十個星來。時遷、石秀挨了一回，再溜下屋來，到祠外探看，並無一個人來往。

兩個再踅幾步，左右張望，鄰近雖有幾家居民，都靜悄悄地閉著門，隱隱有哭泣之聲。時遷再踅向南去，轉過一帶土牆，卻是偌大一塊空地，上面有數十堆柴草。

時遷暗想道：「這是草料場，如何無軍人看守？」原來城中將士，只顧城上禦敵，卻無暇到此處點視。那看守軍人，聽得宋軍殺散救兵，料城中已不濟事，各顧性命，預先藏匿去了。時遷、石秀復身到神祠裡，取了火種，把道人屍首上亂草點著，卻溜到草場內，兩個分頭去，一連捽上六七處。

少頃，草場內烘烘火起，烈焰沖天，那神祠內也燒將起來。草場西側，一個居民聽得火起，打著火把出來探聽。時遷搶過來，劈手奪了火把。石秀道：「待我們去報鈕元帥！」居民見兩個是軍士，哪敢與他彆拗。

時遷執著火把，同石秀一逕望南跑去，口裡嚷著報元帥，見居民房屋下得手的所在，又捽上兩把火，卻丟下火把，趦過一邊。兩個脫下北軍號衣，躲在僻靜處。

城中見四五路火起，一時鼎沸起來。鈕文忠見草場火起，急領軍士馳往救火。城外見城內火起，知是時遷、石秀內應，併力攻打。

宋江同吳用帶領解珍、解寶馳至城南，吳用道：「我前日見那邊城垣稍低。」

便令秦明等把飛樓逼近城垣。吳用對解珍、解寶道：「賊人喪膽，軍士已罷，兄弟努力上城！」

解珍帶朴刀上飛樓，攀女牆，一躍而上，隨後解寶也奮躍上去。兩個發聲喊，搶下女牆，揮刀亂砍。城上軍士，本是困頓驚恐，又見解珍、解寶十分凶猛，都亂竄滾下城去。褚亨見二人上城，挺槍來鬥了十數合，被解寶一朴刀搠翻，解珍趕上，剁下頭來。此時宋兵從飛樓攀援上城，已有百十餘人。

解珍、解寶當先，一齊搶殺下城，大叫道：「上前的剁做肉泥！」眾人殺死石敬、秦升，砍翻把門軍士，奪了城門，放下吊橋，徐寧等眾將領兵擁入。徐寧同韓滔領兵殺奔東門，安士榮抵敵不住，被徐寧戳死，奪門放林沖等眾將入城。秦明同彭玘領兵搶奪西門，放董平等入城。莫真、赫仁、曹洪被亂兵所殺。殺得屍橫市井，血滿街衢。鈕文忠見城門已都被奪了，只得上馬，棄了城池，同于玉麟領二百餘人，出北門便走。未及一里，黑暗裡突出黑旋風李逵、花和尚魯智深，一個猛將軍，一個莽和尚，攔住去路。正是：

天羅密布難移步，地網高張怎脫身。

畢竟鈕文忠、于玉麟性命如何？且聽下回分解。

第九三回

李逵夢鬧天池
宋江兵分兩路

話說鈕文忠見蓋州已失，只得奔走出城，與同于玉麟、郭信、盛本、桑英保護而行，正撞著李逵、魯智深領步兵截住去路。

李逵高叫道：「俺奉宋先鋒將令，等候你這夥敗撮鳥多時了！」掄雙斧殺來，手起斧落，早把郭信、桑英砍翻。鈕文忠嚇得魂不附體，措手不及，被魯智深一禪杖，連盔帶頭，打得粉碎，撞下馬去。二百餘人，殺個盡絕。只被于玉麟、盛本望刺斜裡死命撞出去了。

魯智深道：「留下那兩個驢頭罷！等他去報信。」仍割下三顆首級，奪得鞍馬盔甲，一逕進城獻納。

且說宋江大隊人馬，入蓋州城，便傳下將令，先教救滅火焰，不許傷害居民。眾將都來獻功。宋先鋒教軍士將首級號令各門，天明出榜，安撫百姓。將三軍人馬，盡數收入蓋州屯住，賞勞三軍諸將。

功績簿上，標寫石秀、時遷、解珍、解寶功次。一面寫表申奏朝廷，得了蓋州，盡將府庫財帛金寶，解赴京師，寫書中呈宿太尉。此時臘月將終，宋江料理軍務，不覺過了三四日，忽報張清病可，同安道全來參見聽用。

宋江喜道：「甚好。明日是宣和五年的元旦，卻得聚首。」

次日黎明，眾將軍穿公服幞頭，宋江率領眾兄弟望闕朝賀，行五拜三叩頭禮已畢，卸下幞頭公服，各穿紅錦戰袍，九十二個頭領及新降將耿恭，齊齊整整，都來賀節，參拜宋江。宋先鋒大排筵席，慶賀宴賞。眾兄弟輪次與宋江稱觴◈獻壽。

酒至數巡，宋江對眾將道：「賴眾兄弟之力，國家復了三個城池。又值元旦，相聚歡樂，實為罕有。獨是公孫勝、呼延灼、關勝，水軍頭領李俊等八員，及守陵川柴進、李應，守高平史進、穆弘，這十五兄弟不在面前，甚是悒怏。」

當下便喚軍中頭目，領二百餘名軍役，個個另外賞勞，教即日擔送羊酒，分頭去送到衛州、陵川、高平三處守城頭領交納，兼報捷音。吩咐兀是未了，忽報三處守城頭領差人到此候賀，都奉先鋒將令，戎事在身，不能親來拜賀。

宋江大喜道：「得此信息，就如見面一般。」賞勞來人，陪眾兄弟開懷暢飲，盡醉方休。

次日，宋先鋒準備出東郊迎春，因這日子時正四刻，又逢立春節候。是夜刮起東北風，濃雲密布，紛紛洋洋，降下一天大雪。明日眾頭領起來看時，但見：

紛紛柳絮，片片鵝毛。空中白鷺群飛，江上素鷗翻覆。飛來庭院，轉旋作態因風；映徹戈矛，燦爛增輝荷日。千山玉砌，能令樵子悵迷蹤；萬戶銀妝，多少幽人成佳句。

正是：

盡道豐年好，豐年瑞若何？邊關多荷戟◈，宜瑞不宜多。

當下地文星蕭讓對眾頭領說道：「這雪有數般名色◈：一片的是蜂兒，二片的是鵝毛，三片的是攢三，四片的是聚四，五片喚做梅花，六片喚做六出。這雪本是陰氣凝結，所以六出，應著陰數。到立春以後，都是梅花雜片，更無六出了。今日雖已立春，尚在冬春之交，那雪片卻是或五或六。」

◈**稱觴**—舉杯敬酒，表示祝賀。　**荷戟**—持戟。戟是一種古代兵器。　**名色**—名稱。

樂和聽了這幾句議論，便走向簷前，把皂衣袖兒承受那落下來的雪片看時，真個雪花六出，內一出尚未全去，還有些圭角，內中也有五出的了。

樂和連聲叫道：「果然！果然！」眾人都擁上來看，卻被李逵鼻中沖出一陣熱氣，把那雪花兒沖滅了。

眾人都大笑，卻驚動了宋先鋒，走出來問道：「眾兄弟笑甚麼？」

眾人說：「正看雪花，被黑旋風鼻氣沖滅了。」

宋江也笑道：「我已吩咐置酒在宜春圃，與眾兄弟賞玩則個。」

原來這州治東，有個宜春圃，圃中有一座雨香亭，亭前頗有幾株檜柏松梅。當晚眾頭領在雨香亭語笑喧譁，觥籌交錯，不覺日暮，點上燈燭。

宋江酒酣，閒話中追論起昔日被難時，多虧了眾兄弟：「我本鄆城小吏，身犯大罪，蒙眾兄弟於千槍萬刀之中，九死一生之內，屢次捨著性命，救出我來。當江州與戴宗兄弟押赴市曹時，萬分是個鬼，到今日卻得為國家臣子，與國家出力。回思往日之事，真如夢中！」

宋江說到此處，不覺潸然淚下。戴宗、花榮及同難的幾個弟兄，聽了這般話，也都掉下淚來。

李逵這時多飲了幾杯酒，酣醉上來，一頭與眾人說著話，眼皮兒卻漸漸合攏來，便用雙臂櫬著臉，已是睡去。

忽轉念道：「外面雪兀是未止。」心裡想著，身體未嘗動彈，卻像已走出亭子外的一般。看外面時，又是奇怪：「原來無雪，只管在裡面兀坐！待我到那廂去走一回。」

離了宜春圃，須臾出了州城，猛可想起：「啊也！忘帶了板斧！」把手向腰間摸時，原來插在這裡。向前不分南北，莽莽撞撞的，不知行了多少路，卻見前面一座高山。無移時，行到山前，只見山凹裡走出一個

◆圭角──形跡。

人來，頭帶折角頭巾，身穿淡黃道袍，迎上前來笑道：「將軍要閒步時，轉過此山，是有得意處。」

李逵道：「大哥，這個山名叫做甚麼？」

那秀士道：「此山喚做天池嶺。將軍閒玩回來，仍到此處相會。」

李逵依著他，真個轉過那山，忽見路旁有一所莊院。只聽得莊裡大鬧，李逵闖將進去，卻是十數個人，都執棍棒器械，在那裡打桌擊凳，把家火什物打得粉碎。

內中一個大漢罵道：「老牛子，快把女兒好好地送與我做渾家，萬事干休；若說半個不字，教你們都是個死！」

李逵從外入來，聽了這幾句說話，心如火熾，口似煙生，喝道：「你這夥鳥漢，如何強要人家女兒？」

那夥人嚷道：「我們是要他女兒，干你屁事！」

李逵大怒，拔出板斧砍去。好生作怪，卻是不禁砍，只一斧，砍翻了兩三個。那幾個要走，李逵趕上，一連六七斧，砍得七顛八倒，屍橫滿地。

單只走了一個，望外跑去了。

李逵搶到裡面，只見兩扇門兒緊緊地閉著，李逵一腳踢開，見裡面有個白髮老兒，和一個老婆子在那裡啼哭。見李逵搶人來，叫道：「不好了，打進來了！」

李逵大叫道：「我是路見不平的。前面那夥鳥漢，被我都殺了，你隨我來看。」

那老兒戰戰兢兢的跟出來看了，反扯住李逵道：「雖是除了凶人，須連累我吃官司！」

李逵笑道：「你那老兒，也不曉得黑爺爺。我是梁山泊黑旋風李逵，現今同宋公明哥哥奉詔征討田虎。他們現在城中吃酒，我不耐煩，出來閒走。莫說那幾個鳥漢，就是殺了幾千，也打甚麼鳥不禁！」

那老兒方才揩淚道：「恁般卻是好也！請將軍到裡面坐地。」

李逵走進去，那邊已擺上一桌子酒饌。老兒扶李逵上面坐了，滿滿地篩一碗酒，雙手捧過來道：「蒙將軍救了女兒，滿飲此盞。」

李逵接過來便吃，老頭兒又來勸。一連吃了四五碗，只見先前啼哭的老婆子領了一個年少女子上前，叉手雙雙地道了個萬福。

婆子便道：「將軍在宋先鋒部下，又恁般奢遮，如不棄醜陋，情願把小女配與將軍。」

李逵聽了這句話，跳將起來道：「這樣腌臢歪貨◆！卻可是我要謀妳的女兒，殺了這幾個撮鳥？快夾了鳥嘴，不要放那鳥屁！」只一腳，把桌子踢翻，跑出門來。

只見那邊一個彪形大漢，仗著一條朴刀，大踏步趕上來，大喝一聲道：「兀那黑賊，不要走！卻才這幾個兄弟，如何都把來殺了？我們是要他家女兒，干你甚事？」挺朴刀直搶上來。

李逵大怒，掄斧來迎，與那漢鬥了二十餘合。那漢鬥不過，隔開板斧，拖著朴刀，飛也似跑去。李逵緊緊追趕，趕過一個林子，猛見許多宮殿，那漢奔至殿前，撇了朴刀，在人叢一混，不見了那漢。

只聽得殿上喝道：「李逵不得無禮！著他來見朝。」

李逵猛省道：「這是文德殿，前日隨宋哥哥在此見朝，這是皇帝的所在。」

又聽得殿上說道：「李逵，快俯伏！」李逵藏了板斧，上前觀看，只見皇帝遠遠的坐在殿上，許多官員排列殿前。

李逵端端正正朝上拜了三拜，心中想道：「啊也！少了一拜！」

天子問道：「適才你為何殺了許多人？」

李逵跪著說道：「這廝們強要占人女兒，臣一時氣忿，所以殺了。」

天子道：「李逵路見不平，剿除奸黨，義勇可嘉，赦汝無罪，赦汝做了值殿將軍。」

李逵心中喜歡道：「原來皇帝恁般明白！」一連磕了十數個頭，便起身立於殿下。

◆歪貨——壞東西。

無移時，只見蔡京、童貫、楊戩、高俅四個，一班兒跪下，俯伏奏道：「今有宋江統領兵馬，征討田虎，逗遛◆不進，終日飲酒，伏乞皇上治罪。」

李逵聽了這句話，那把無名火高舉三千丈，按納不住，搦兩斧搶上前，一斧一個，劈下頭來，大叫道：「皇帝你不要聽那賊臣的說話！我宋哥哥連破了三個城池，現今屯兵蓋州，就要出兵，如何恁般欺誑？」眾文武見殺了四個大臣，都要來捉李逵。

李逵拎兩斧叫道：「敢來捉我，把那四個做樣！」眾人因此不敢動手。

李逵大笑道：「快當◆！快當！那四個賊臣今日才得了當，我去報與宋哥哥知道！」大踏步離了宮殿。

猛可的又見一座山，看那山時，卻是適才遇見秀士的所在。那秀士兀是立在山坡前，又迎將上來笑道：「將軍此遊得意否？」

李逵道：「好教大哥得知，適才被俺殺了四個賊臣。」

那秀士笑道：「原來如此！我原在汾沁之間，近日偶遊於此，知將軍等心存忠義，我還有緊要說話與將軍說。目今宋先鋒征討田虎，我有十字要訣，可擒田虎，將軍須牢牢記著，傳與宋先鋒知道。」

便對李逵念道：「要夷田虎族，須諧瓊矢鏃。」一連念了五六遍。李逵聽他說得有理，便依著他溫念這十個字。

那秀士又向樹林中指道：「那邊有一個年老的婆婆在林中坐地。」李逵才轉身看時，已不見了那個秀士。

李逵道：「他恁地去得快！我且到林子裡去看，是甚麼人。」搶入林子來，果然有個婆子坐著。李逵近前看時，卻原來是鐵牛的老娘，獃獃的閉著眼，坐在青石上。

李逵向前抱住道：「娘呀！妳一向在哪裡吃苦？鐵牛只道被虎吃了，今日卻在這裡！」

◈逗遛——稽留不前。　快當——痛快。

娘道：「吾兒，我原不曾被虎吃。」

李逵哭著說道：「鐵牛今日受了招安，真個做了官。宋哥哥大兵現屯北城中，鐵牛背娘到城中去。」

正在那裡說，猛可的一聲響亮，林子裡跳出一個斑斕猛虎，吼了一聲，把尾一剪，向前直撲下來。慌得李逵拎板斧，望虎砍去，用力太猛了，雙斧劈個空，一跤撲去，卻撲在宜春圃雨香亭酒桌上。

宋江與眾兄弟追論往日之事，正說到濃深處。初時見李逵伏在桌上打盹，也不在意，猛可聽得一聲響，卻是李逵睡中雙手把桌子一拍，碗碟掀翻，濺了兩袖羹汁，口裡兀是嚷道：「娘，大蟲走了！」睜開兩眼看時，燈燭輝煌，眾兄弟團團坐著，還在那裡吃酒。

李逵道：「啐！原來是夢，卻也快當！」

眾人都笑道：「甚麼夢？恁般得意！」

李逵先說夢見我的老娘，原不曾死，正好說話，卻被大蟲打斷。眾人都嘆息。李逵再說到殺卻奸徒，踢翻桌子，那邊魯智深、武松、石秀聽了，都拍手道：「快當！」

李逵笑道：「還有快當的哩！」又說到殺了蔡京、童貫、楊戩、高俅四個賊臣，眾人拍著手，齊聲大叫道：「快當！快當！如此也不枉了做夢！」

宋江道：「眾兄弟噤聲，這是夢中說話，甚麼要緊。」

李逵正說到興濃處，揎拳裹袖的說道：「打甚麼鳥不禁？真個一生不曾做恁般快暢的事。還有一樁奇異夢，一個秀士對我說甚麼『要夷田虎族，須諧瓊矢鏃』。他說這十個字，乃是破田虎的要訣，教我牢牢記著，傳與宋先鋒。」

宋江、吳用都詳解不出。當有安道全聽得「瓊矢鏃」三字，正欲啟齒說話，張清以目視之，安道全微笑，遂不開口。

吳用道：「此夢頗異，雪霽便可進兵。」當下酒散歇息，一宿無話。

次日雪霽，宋江升帳，與盧俊義、吳學究計議兵分兩路，東西進征。東一路度壺關，取昭德，由潞城、榆社直抵賊巢之後，卻從大谷到臨縣，會兵合剿。西一路取晉寧，出霍山，取汾陽，由分休、平遙、祁縣直抵威勝之西北，合兵臨縣，取威勝，擒田虎。當下分撥兩路將佐：

正先鋒宋江管領正偏將佐四十七員：

軍師吳用、林沖、索超、徐寧、孫立、張清、戴宗、朱仝、樊瑞、李逵、魯智深、武松、鮑旭、項充、李袞、單廷珪、魏定國、馬麟、燕順、解珍、解寶、宋清、王英、扈三娘、孫新、顧大嫂、凌振、湯隆、李雲、劉唐、燕青、孟康、王定六、蔡福、蔡慶、朱貴、裴宣、蕭讓、蔣敬、樂和、金大堅、安道全、郁保四、皇甫端、侯健、段景住、時遷、河北降將耿恭。

副先鋒盧俊義帶領正偏將佐四十員：

軍師朱武、秦明、楊志、黃信、歐鵬、鄧飛、雷橫、呂方、郭盛、宣贊、郝思文、韓滔、彭玘、穆春、焦挺、鄭天壽、楊雄、石秀、鄒淵、鄒潤、張青、孫二娘、李立、陳達、楊春、李忠、孔明、孔亮、楊林、周通、石勇、杜遷、宋萬、丁得孫、龔旺、陶宗旺、曹正、薛永、朱富、白勝。

宋江分派已定，再與盧俊義商議道：「今從此處分兵，東西征剿，不知賢弟兵取何處？」

盧俊義道：「主將遣兵，聽從哥哥嚴令，安敢揀擇？」

宋江道：「雖然如此，試看天命。兩隊分定人數，寫成鬮◆子，各拈一處。」

當下裴宣寫成東西兩處鬮子，宋江、盧俊義焚香禱告，宋江拈起一鬮。只因宋江拈起這個鬮來，直教：三軍隊裡，再添幾個英雄猛將；五龍山前，顯出一段奇聞異術。

畢竟宋先鋒拈著那一處？且聽下回分解。

◆鬮—用來抓取以決勝負的器具或抽取以卜可否的紙條。音揪。

第九四回

關勝義降三將　李逵莽陷眾人

話說宋江在蓋州分定兩隊兵馬人數，寫成鬮子，與盧俊義焚香禱告。宋江拈起一個鬮子看時，卻是東路，盧俊義拈得西路。是不必說，只等雪淨啟行，留下花榮、董平、施恩、杜興，撥兵二萬，鎮守蓋州。

到初六日吉期，宋江、盧俊義準備起兵。忽報蓋州屬縣陽城、沁水兩處軍民，累被田虎殘害，不得已投順，今知天兵到來，軍民擒縛陽城守將寇孚、沁水守將陳凱，解赴軍前。

兩縣耆老，率領百姓，牽羊擔酒，獻納城池。宋先鋒大喜，大加賞勞兩處軍民，給榜撫慰，復為良民。宋先鋒以寇孚、陳凱知天兵到此，不速來歸順，著即斬首祭旗，以儆◈賊人。

是日兩路大兵，俱出北門，花榮等置酒餞送。宋江執杯對花榮道：「賢弟威振賊軍，堪為此城之保障。今此城惟北面受敵，倘有賊兵，當設奇擊之，以喪賊膽，則賊人不敢南窺矣。」花榮等唯唯◈受命。

宋江又執杯對盧俊義道：「今日出兵，卻得陽城、沁水獻俘之喜。二處既平，賢弟可以長驅直抵晉寧，早建大功，生擒賊首田虎，報效朝廷，同享富貴。」

盧俊義道：「賴兄長之威，兩處不戰而服。既奉嚴令，敢不盡心殫力！」

宋江又取前日教蕭讓照依許貫忠圖畫，另寫成一軸，付與盧俊義收置備用。當下正先鋒宋江傳令撥兵三隊，林沖、索超、徐寧、張清領兵一萬為前隊，孫立、朱仝、燕順、馬麟、單廷珪、魏定國、湯隆、李雲領兵一萬為後

◈**儆**——警告、懲戒。儆音警。　**唯唯**——恭敬應諾之詞。

隊，宋江與吳用統領其餘將佐，領兵三萬為中軍。

三隊共軍兵五萬，望東北進發。副先鋒盧俊義辭了宋江、花榮等，管領四十員將佐，軍兵五萬，望西北進征，花榮、董平、施恩、杜興餞別宋江、盧俊義入城。

花榮傳令，於城北五里外，紮兩個營寨，施恩、杜興各領兵五千，設強弓硬弩，並諸般火器屯紮，以當敵鋒，又於東西兩路，設奇兵埋伏，不題。其高平自有史進、穆弘，陵川自有李應、柴進，衛州自有公孫一清、關勝、呼延灼，各各守禦。看官牢記話頭。

且說宋先鋒三隊人馬，離蓋州行三十餘里。宋江在馬上，遙見前面有座山嶺，多樣時，漸近山下，卻在馬首之右。宋江觀看那山形勢，比他山又是不同。但見：

萬疊流嵐鱗次密，數峰連峙雁成行。

嶺顛崖石如城郭，插天雲木繞蒼蒼。

宋江正在觀看山景，忽見李逵上前用手指道：「哥哥，此山光景，與前日夢中無異。」

宋江即喚降將耿恭問道：「你在此久，必知此山來歷。若依許貫忠圖上，房山在州城東，當叫做天池嶺。」

李逵道：「夢中那秀士，正是說天池嶺，我卻忘了。」

耿恭道：「此山果是天池嶺，其顛石崖如城郭一般，昔人避兵之處。近來土人說此嶺有靈異，夜間石崖中，往往有紅光照耀；又有樵者到崖畔，有異香撲鼻。」

宋江聽罷，便道：「如此卻符合李逵的夢。」是日兵行六十里安營，於路無話。不則一日，來到壺關之南，離關五里下寨。

卻說壺關原在山之東麓，山形似壺，漢時始置關於此，因此叫做壺關。山東有抱犢山，與壺關山麓相連。壺關正在兩山之中，離昭德城南八十里外，乃昭德之險隘。上有田虎手下猛將八員，精兵三萬鎮守。那八員猛將是誰：山士奇、陸輝、史定、吳成、仲良、雲宗武、伍肅、竺敬。

卻說山士奇原是沁州富戶子弟，膂力過人，好使槍棒。因殺人懼罪，遂投田虎部下，拒敵有功，偽受兵馬都監之職。慣使一條四十斤重渾鐵棍，武藝精熟。

田虎聞朝廷差宋江等兵馬前來，特差他到昭德，挑選精兵一萬，協同陸輝等鎮守壺關。彼處一應調遣，俱得便宜行事，不必奏聞。山士奇到壺關，知蓋州失守，料宋兵必來取關，日日厲兵秣馬◆，準備迎敵。

忽報宋兵已到關南五里外紮營，士奇整點馬軍一萬，同史定、竺敬、仲良個個披掛上馬，領兵出關迎敵，與宋兵對陣。兩邊列成陣勢，用強弓硬弩，射住陣腳。兩陣裡花腔鼉鼓擂，雜彩繡旗搖。北陣門旗開處，一將立馬當先。看他怎生結束◆：

鳳翅明盔穩戴，魚鱗鎧甲重披。錦紅袍上織花枝，獅蠻帶瓊瑤密砌。
純鋼鐵棍緊挺，青毛駿馬頻嘶。壺關新到大將軍，山都監士奇便是。

山士奇高叫：「水洼草寇，敢來侵犯我邊疆！」那邊豹子頭林沖驟馬出陣，喝道：「助虐匹夫！天兵到來，兀是抗拒！」撚矛縱馬，直搶士奇。

二將搶到垓心，兩軍吶喊，二騎相交，四條臂膊縱橫，八隻馬蹄撩亂，鬥經五十餘合，不分勝負，林沖暗暗喝采。竺敬見士奇不能取勝，拍馬飛刀助戰，那邊沒羽箭張清飛馬接住。四騎馬在陣前兩對兒廝殺。張清與竺敬鬥至二十餘合，張清力怯，拍馬便走。

竺敬驟馬趕來，張清帶住花槍，向錦袋內取一石子，扭過身軀，覷定竺敬面門，一石子飛去，喝聲道：「著！」

正中竺敬鼻凹，翻身落馬，鮮血迸流。張清回馬拈槍來刺，北陣裡史定、仲良雙出，死救得脫。關上見打翻一將，恐士奇有失，遂鳴金收兵。宋江亦令鳴金收兵回寨，與吳用商議道：「今日打翻一員賊將，少挫銳

◈厲兵秣馬——磨利兵器，餵飽馬匹。指完成作戰準備。　結束——穿戴裝扮。

氣。我見山勢險峻，關形壯固，用何良策，可破此關？」

林沖道：「來日叩關搦戰，一定要殺卻那個賊將，眾兄弟併力衝殺上去。」

吳用道：「將軍不可造次！孫武子云：『不可勝者，守也；可勝者，攻也。』謂敵未可勝，則我當自守，彼敵可勝，則攻之爾。」

宋江道：「軍師之言甚善。」

次日，林沖、張清來稟宋先鋒，要領兵搦戰。

宋江吩咐道：「縱使戰勝，亦不得輕易上關。」

再令徐寧、索超領兵接應。當下林沖、張清領五千軍馬，在關下搖旗擂鼓，辱罵搦戰，從辰至午，關上不見動靜。林沖與張清卻待要回寨，猛聽得關內一聲炮響，關門開處，山士奇同伍肅、史定、吳成、仲良領兵二萬，衝殺下來。

林沖對張清道：「賊人乘我之疲，我等努力向前！」後隊索超、徐寧領兵一齊上前。兩邊列陣，更不打話，尋對廝殺。

林沖鬥伍肅，山士奇出馬，張清拈梨花槍接住。吳成、史定雙出，索超揮斧躍馬，力敵二將。當下兩軍迭聲吶喊，七騎馬在征塵影裡，殺氣叢中，燈影般捉對兒廝殺。正鬥到酣鬧處，豹子頭林沖大喝一聲，只一矛將伍肅戳下馬來。

吳成、史定兩個戰索超，兀是力怯，見那邊伍肅落馬，史定急賣個破綻，拍馬望本陣奔去。吳成見史定敗陣，隔開斧要走，被索超揮斧砍為兩段。山士奇見折了二將，撥馬回陣。張清趕上，手起一石子，打著腦後頭盔，鏗然有聲，驚得士奇伏鞍而走。仲良急領兵進關，被林沖等驅兵衝殺過來，北軍大敗。

山士奇領兵亂竄入關，閉門不迭。林沖等直殺至關下，被關上矢石打射下來，因此不能得入。林沖左臂早中一矢，收兵回寨。宋江令安道全療治林沖箭瘡，幸得甲厚，不致傷重，不在話下。

且說山士奇進關，計點軍士，折去二千餘名，又折了二將。對眾商議，一面差人往威勝晉王處，說宋江等兵強將猛，難以抵敵，乞添差良將鎮守，庶保無虞；一面密約抱犢山守將唐斌、文仲容、崔野，領精兵悄地出抱犢之東，抄宋兵之後。約定日期，放炮為號，「我這裡領兵出關，衝殺下來，兩路夾攻，必獲全勝。」當下計議已定，堅守關隘，只等唐斌處消息，不題。

再說宋先鋒見壺關險阻，急切不能破，相拒半月有餘。正在帳中納悶，忽報衛州關將軍差人馳書到來，內有機密事情。宋江與吳用連忙拆開觀看，書中說：

抱犢山寨主唐斌，原是蒲東軍官。

為人勇敢剛直，素與關某結義。

被勢豪陷害，唐斌忿怒，殺死仇家，官府追捕緊急。

那時自蒲東南下，欲投梁山，路經此山被劫。

當下唐斌與本山頭目文仲容、崔野爭鬥，

文、崔二人，都不能贏他，因此請唐斌上山，讓他為寨主。舊年因田虎侵奪壺關，要他降順，唐斌本意不肯，後見勢孤，勉強降順。卻只在本山駐紮，為壺關犄角，以備南兵。近聞關某鎮守衛州，新歲元旦，唐斌單騎潛至衛州，訴說向來衷曲。他久慕兄長忠義，本欲歸順天朝，投降兄長麾下，建功贖罪。關某單騎同唐斌到抱犢山，見文仲容、崔野二人爽亮，毫無猥瑣之態。二人亦欲歸順，密約相機獻關，以為進身之資。

宋江詳悉來書，與吳用計議，按兵不動，只看關內動靜，然後策應。

卻說山士奇差人密約唐斌悄地出兵，軍人回報：「目今月明如晝，待月晦進兵，務使敵人不覺為妙。」

士奇道：「也見得是。」一連過了十幾日，宋軍也不來攻打，忽報唐斌領數騎，從抱犢山側馳至關內。須臾，唐斌到關，參見山士奇。唐斌道：「今夜三更，文仲容、崔野領兵一萬，潛出抱犢山之東，人披軟戰，馬摘鸞鈴，黎明必到宋兵寨後，這裡可速準備出關接應。」

士奇喜道：「兩路夾擊，宋兵必敗！」士奇置酒管待。

至暮，唐斌上關探望道：「奇怪，星光下卻像關外有人哨探的。」一頭說，便向親隨軍士箭壺中，取兩枝箭，望關外射去。也是此關合破，關外真個有幾個軍卒，奉宋先鋒將令，在黑影裡潛探關中消息。唐斌那枝箭，可可◈的射著一個軍卒右股，但射得股肉疼痛，卻似無箭鏃的。軍士怪異，取箭細看，原來有許多絹帛，緊緊纏縛著箭鏃。軍卒知有別情，飛奔至寨中，報至宋先鋒。

宋江在燈燭之下，拆開看時，內有蠅頭細字幾行，卻是唐斌密約：「次日黎明獻關，有文仲容、崔野領兵潛至先鋒寨後，只等炮響，關內殺出接應，那時唐斌在彼，乘機奪關。宋先鋒乞速準備進關。」宋江看罷，與吳用密議準備。

吳用道：「關將軍料無差誤。然敵兵出我之後，不可不做準備。當令孫立、朱仝、單廷珪、魏定國、燕順領兵一萬，捲旗息鼓，潛往寨後。如遇文、崔二將兵到，勿令彼遽逼營寨，直待我兵已得此關，聽放轟天子母號炮，方可容他近前。再令徐寧、索超領兵五千，潛往寨東埋伏；林沖、張清領兵五千，潛往寨西埋伏。只聽寨內炮響，兩路齊出接應，合兵衝殺上關，萬一我兵中彼奸計，即來救應。」

宋江道：「軍師籌劃甚善！」當下依議傳令，眾將遵守，準備去了。

再說山士奇在關內得唐斌消息，專聽宋兵寨後炮聲。候至天明，忽聽得關南連珠炮響，唐斌同士奇上關眺望，見宋軍寨後塵起，旌旗錯亂。

唐斌道：「此必文、崔二將兵到，可速出關接應！」

◆可可——恰好、正巧。

山士奇同史定領精兵一萬，先出關衝殺，令唐斌、陸輝領兵一萬，隨後策應，卻令竺敬、仲良駐紮關上。當下宋兵見關上衝出兵來，望後急退。山士奇當先驅兵捲殺過來，猛聽得一聲炮響，宋兵左右撞出兩彪軍馬，殺奔前來。

唐斌見宋兵兩隊殺出，急回馬領兵搶上關來，橫矛立馬於門外。山士奇、史定正在分頭廝殺，宋寨中又一聲炮響，李逵、鮑旭、項充、李袞領標槍牌手，滾殺過來。山士奇知有準備，急招兵回馬上關。關前一將，立馬大叫道：「唐斌在此，壺關已屬宋朝，山士奇可速下馬投降！」手起一矛，早把竺敬戳死。山士奇大驚，罔知所措，領數十騎，望西抵死衝突去了。

林沖、張清要奪關隘，也不來追趕，領兵殺上關來。那時李逵等步兵輕捷，已搶上關，即放號炮，同唐斌趕殺把關軍士，奪了壺關。仲良被亂兵所殺，關外史定被徐寧搠翻，北兵四散逃竄，棄下盔甲馬匹無數。殺死二千餘人，生擒五百餘名，降者甚眾。

須臾，宋先鋒等大兵次第入關，唐斌下馬，拜見宋江道：「唐某犯罪，聞先鋒仁義，那時欲奔投大寨，只因無個門路，不獲拜識尊顏。今天假其便◆，使唐某得隨鞭鐙，實滿平生之願。」說罷又拜。

宋江答禮不迭，慌忙扶起道：「將軍歸順朝廷，同宋某蕩平叛逆，宋某回朝，保奏天子，自當優敘。」

次後孫立等眾將，與同文仲容、崔野領兩路兵馬，屯紮關外聽令。宋江傳令文、崔二將入關相見，孫立等統領兵馬，且屯紮關外。

文仲容、崔野進關參拜宋先鋒道：「文某、崔某有緣，得侍麾下，願效犬馬。」

宋江大喜道：「將軍等同賺此關，功勳不小，宋某於功績簿上，一一標記明白。」即令設宴，與唐斌等二人慶賀。一面計點關內外軍士，新降兵二萬餘人，獲戰馬一千餘匹。眾將都來獻功。

◆天假其便——上天賜給的緣分。指難得的好機會。

宋先鋒賞勞將佐軍兵已畢，宋江問唐斌，昭德關中兵將多寡。唐斌道：「城內原有三萬兵馬，山士奇選出一萬守關，今城中兵馬尚有二萬，正偏將佐共十員。」那十員乃是孫琪、葉聲、金鼎、黃鉞、冷寧、戴美、翁奎、楊春、牛庚、蔡澤。

唐斌又道：「田虎恃壺關為昭德屏障，壺關已破，田虎失一臂矣！唐某不才，願為前部去打昭德。」當下陵川降將耿恭願同唐斌為前部，宋江依允。

少頃，宋江對文仲容、崔野道：「兩位素居抱犢山，知彼情形，威風久著。宋某欲令二位管令本部人馬，仍往抱犢屯紮，以當一面。待宋某打破昭德，那時請將軍相會，不知二位意下如何？」

文仲容、崔野同聲答道：「先鋒之令，安敢不遵？」當下酒罷，文、崔辭別宋先鋒，往抱犢去了。

次日，宋先鋒升帳，令戴宗往晉寧盧先鋒處，探聽軍情，速來回報。戴宗遵令起程不題。

宋江與吳用計議，分撥軍馬，攻打昭德。唐斌、耿恭領兵一萬，攻打東門；索超、張清領兵一萬，攻打南門；卻空著西門，防威勝救兵至，恐內外衝突不便。又令李逵、鮑旭、項充、李衮領步兵五百為游兵，往來接應；令孫立、朱仝、燕順領兵進關，同樊瑞、馬麟管領兵馬，鎮守壺關。分撥已定，宋先鋒與吳學究統領其餘將佐，拔寨起行，離昭德城南十里下寨，不題。

話分兩頭。卻說威勝偽省院官，接得壺關守將山士奇及晉寧田彪告急申文，奏知田虎，說宋兵勢大，壺關、晉寧兩處危急。田虎陞殿，與眾人計議，發兵救援。

只見班部中閃出一個人，首戴黃冠，身披鶴氅，上前奏道：「臣啟大王，臣願往壺關退敵。」

那人姓喬，單名個冽字。其先原是陝西涇原人。其母懷孕，夢豺入室，後化為鹿，夢覺產冽。那喬冽八歲好使槍弄棒，偶遊崆峒山，遇異人傳授幻術，能呼風喚雨，駕霧騰雲。也曾往九宮縣二仙山訪道，羅真人不肯接見，令道童傳命，對喬冽說：「你攻於外道，不悟玄微，待你遇德魔降，然後見我。」

喬冽艴然◈而返，自恃有術，遊浪不羈。因他多幻術，人都稱他做「幻魔君」。後來到安定州。本州亢陽，五個月雨無涓滴，州官出榜：「如有祈至雨澤者，給信賞錢三千貫。」

喬冽揭榜上壇，甘霖大澍◈。州官見雨足，把這信賞錢不在意了。也是喬冽合當有事，本處有個歪學究，姓何名才，與本州庫吏最密，當下探知此事，他便攛掇庫吏，把信賞錢大半孝順州官，其餘侵來入己。何才與庫吏借貸，也撚得些兒油水。

庫吏卻將三貫錢把與喬冽道：「你有恁般高術，要這錢也沒用頭。我這裡正項錢糧，兀自起解不足，東挪西撮。你這項信賞錢，依著我，權且存置庫內，日後要用，卻來陸續支取。」

喬洌聽了，大怒道：「信賞錢原是本州富戶協助的，你如何恣意侵剋？庫藏糧餉，都是民脂民膏，你只顧侵來肥己，買笑追歡，敗壞了國家許多大事。打死你這汙濫腌臢，也與庫藏除了一蠹！」

提起拳頭，劈臉便打。

那庫吏是酒色淘虛的人，更兼身體肥胖，未動手先是氣喘，哪裡架隔得住。當下被喬洌拳頭腳踢，痛打一頓，狼狽而歸，臥床四五日，嗚呼哀哉，傷重而死。庫吏妻孥，在本州投了狀詞。州官也七分猜著，是因信賞錢弄出這事來。押紙公文，差人勾捉凶身喬洌對問。

喬洌探知此事，連夜逃回涇原收拾，同母離家，逃奔到威勝，更名改姓，扮做全真◆，把洌字改做清字，起個法號，叫做道清。未幾，田虎作亂，知道清有術，勾引入夥，捏造妖言，逞弄幻術，煽惑愚民，助田虎侵奪州縣。

◆**艴然**—因惱怒而臉色改變的樣子。艴音服。 **澍**—潤澤、滋潤。 **全真**—道士的別稱。

田虎每事靠道清做主，偽封他做護國靈感真人、軍師左丞相之職。那時方才出姓，因此都稱他做國師喬道清。

當下喬道清啟奏田虎，願部領軍馬，往壺關拒敵。田虎道：「國師恁般替寡人分憂！」說還未畢，又見殿帥孫安上殿啟奏：「臣願領軍馬去援晉寧。」田虎加封喬道清、孫安為征南大元帥，各撥兵馬二萬前去。喬道清又奏道：「壺關危急，臣選輕騎，星馳往救。」田虎大喜，令樞密院分撥兵將，隨從喬道清、孫安進征。樞密院得令，選將撥兵，交付二人。喬道清、孫安即日整點軍馬起程。那個孫安與喬道清同鄉，他也是涇原人。生得身長九尺，腰大八圍，頗知韜略，膂力過人。學得一身出色的好武藝，慣使兩口鑌鐵劍。後來為報父仇，殺死二人，因官府追捕緊急，棄家逃走。他素與喬道清交厚，聞知喬道清在田虎手下，遂到威勝，投訴喬道清。

道清薦與田虎，拒敵有功，偽受殿帥之職。今日統領十員偏將，軍馬二萬，往救晉寧。那十員偏將是誰，乃是梅玉、秦英、金禎、陸清、畢勝、潘迅、楊芳、馮升、胡邁、陸芳。

那十員偏將，都偽授統制之職。當下孫安辭別喬道清，統領軍馬，望晉寧進發不題。再說喬道清將二萬軍馬，著團練聶新、馮玘統領，隨後自己同四員偏將先行。那四員：雷震、倪麟、費珍、薛燦。那四員偏將都偽授總管之職，隨著喬道清，管領精兵二千，星夜望昭德進發。

不則一日，來到昭德城北十里外，前騎探馬來報：「昨日被宋兵打破壺關，目今分兵三路，攻打昭德城池。」

喬道清聞報，大怒道：「這廝們恁般無禮！教他認俺的手段。」領兵飛奔前來。正遇唐斌、耿恭領兵攻打東門。忽報西北上有二千餘騎到來，唐斌、耿恭列陣迎敵。喬道清兵馬已到，兩陣相對，旗鼓相望，南北尚離一箭之地。唐斌、耿恭看見北陣前四員將佐，簇擁著一個先生，立馬於紅羅寶蓋下。那先生怎生模樣？但見：

頭戴紫金嵌寶魚尾道冠，身穿皂沿邊烈火錦鶴氅，腰繫雜色綵絲絛，足穿雲頭方赤舄。仗一口錕鋙鐵古劍，坐一匹雪花銀鬃馬。八字眉碧眼落腮鬍，四方口聲與鐘相似。

那先生馬前皂旗上，金寫兩行十九個大字，乃是「護國靈感真人，軍師左丞相，征南大元帥喬」。耿恭看罷，驚駭道：「這個人利害！」兩軍未及交鋒，恰遇李逵等五百游兵突至。

李逵便欲上前，耿恭道：「此人是晉王手下第一個了得的，會行妖術，最是利害。」

李逵道：「俺搶上去砍了那撮鳥，卻使甚麼鳥術？」

唐斌也說：「將軍不可輕敵。」

李逵哪裡肯聽，揮板斧衝殺上去，鮑旭、項充、李衮恐李逵有失，領五百團牌標槍手，一齊滾殺過去。

那先生呵呵大笑，喝道：「這廝不得狂逞！」不慌不忙，把那口寶劍望空一指，口中念念有詞，喝聲道：「疾！」好好的白日青天，霎時黑霧漫漫，狂風颯颯，飛土揚塵。更有一團黑氣，把李逵等五百餘人罩住，卻似攝入黑漆皮袋內一般，眼前並無一隙亮光，一毫也動彈不得，耳畔但聽得風雨之聲，卻不知身在何處。任你英雄好漢，不能插翅飛騰；你便火首金剛，怎逃地網天羅。八臂哪吒，難脫龍潭虎窟。

畢竟李逵等眾人危困，生死如何？且聽下回分解。

第九五回　宋公明忠感后土　喬道清術敗宋兵

話說黑旋風李逵，不聽唐斌、耿恭說話，領眾將殺過陣去，被喬道清使妖術困住，五百餘人都被生擒活捉，不曾走脫半個。耿恭見頭勢不好，撥馬望東，連打兩鞭，預先走了。

唐斌見李逵等被陷，軍兵慌亂，又見耿恭先走，心下尋思道：「喬道清法術利害，倘走不脫時，落得被人恥笑。我聞軍士不怯死而滅名，到此地位，怎顧得性命！」唐斌捨命，拈矛縱馬，衝殺過來。

喬道清見他來得凶猛，連忙捏訣念咒，喝聲道：「疾！」就本陣內捲起一陣黃沙，望唐斌撲面飛來。

唐斌被沙迷眼目，舉手無措，早被軍士趕上，把左腿刺了一槍，攧下馬來，也被活捉去了。原來北軍有例，凡解生擒將佐到來，賞賜倍加，所以眾將不曾被害。那時唐斌部下一萬人馬，都被黃沙迷漫，殺得人亡馬倒，星落雲散，軍士折其大半。

且說林沖、徐寧在東門，聽得城南喊殺連天，急領兵來接應。那城中守將孫琪等見是喬道清旗號，連忙開門接應，李逵等已被他捉入城中去了。只見那耿恭同幾個敗殘軍卒，跑得氣喘急促，鞍歪轡側，頭盔也倒在一邊，見了林沖、徐寧，方才把馬勒住。

林沖、徐寧忙問何處軍馬，耿恭七顛八倒的說了兩句，林沖、徐寧急同耿恭投大寨來，恰遇王英、扈三娘領三百騎哨到，得了這個消息，一同來報知宋先鋒。耿恭把李逵等被喬道清擒捉的事，備細說了。

宋江聞報大驚，哭道：「李逵等性命休矣！」

吳用勸道：「兄長且休煩悶，快理正事。賊人既有妖術，當速往壺關取樊瑞抵敵。」

宋江道：「一面去取樊瑞，一面進兵，問那賊道討李逵等眾人！」吳用苦諫不聽。

當下宋先鋒令吳用統領眾將守寨，宋江親自統領林沖、徐寧、魯智深、武松、劉唐、湯隆、李雲、郁保四八員將佐，軍馬二萬，即刻望昭德城南殺去。索超、張清接著，合兵一處，搖旗擂鼓，吶喊篩鑼，殺奔城下來。

卻說喬道清進城，升帥府，孫琪等十將參見畢，孫琪等正欲設宴款待，探馬忽報宋兵又到。

喬道清怒道：「這廝無禮！」對孫琪道：「待我捉了宋江便來！」即上馬統領四員偏將，三千軍馬，出城迎敵。

宋兵正在列陣搦戰，只見城門開處，放下吊橋，門內擁出一彪軍來，當先一騎上面，坐著一個先生，正是幻魔君喬道清，仗著寶劍，領軍過吊橋。兩軍相迎，旗鼓相望，各把強弓硬弩射住陣腳，兩陣中吹動畫角，戰鼓齊鳴。

宋陣裡門旗開處，宋先鋒出馬，郁保四捧著帥字旗，立於馬前，左有林沖、徐寧、魯智深、劉唐，右有索超、張清、武松、湯隆八員將佐擁護。宋先鋒怒氣填胸，指著喬道清罵道：「助逆賊道！快放還我幾個兄弟及五百餘人，略有遲延，拿住你碎屍萬段！」

道清喝道：「宋江不得無禮！俺便不放還你，看你怎地拿我！」

宋江大怒，把鞭梢一指，林沖、徐寧、索超、張清、魯智深，武松、劉唐，一齊衝殺過來。

喬道清叩齒作法，捏訣念咒，把劍望西一指，喝聲道：「疾！」霎時有無數兵將，從西飛殺過來，早把宋兵衝動。喬道清又把劍望北一指，口中念念有詞，喝聲道：「疾！」須臾天昏地暗，日色無光，飛沙走石，撼地搖天。

林沖等眾將，正殺上前，只見前面都是黃沙黑氣，哪裡見一個敵軍。宋軍不戰自亂，驚得坐下馬亂竄咆哮。林沖等急回馬擁護宋江，望北奔走。喬道清招兵掩殺，趕得宋江等軍馬星落雲散，七斷八續，呼兄喚弟，覓子尋爺。

宋江等忙亂奔走，未及半里之地，前面恁般奇怪，適才兵馬來時，好好的平原曠野，卻怎麼瀰瀰漫漫，一望都是白浪滔天，天涯無際，卻似個東洋大海，就是肋生兩翅，也飛不過。後面兵馬趕來，眼見得都是個死。

魯智深、武松、劉唐齊聲大叫：「難道束手就縛？」三個奮力回身，向北殺來。猛可的一聲霹靂，半空中現出二十餘尊金甲神人，把兵器亂打下來，早把魯智深、武松、劉唐打翻，北軍趕上，也被活捉去了。

又聽得大喊道：「宋江下馬受縛，免汝一死！」

宋江仰天嘆道：「宋江死不足惜，只是君恩未報，雙親年老，無人奉養；李逵等這幾個兄弟，不曾救得！事到如此，只拚一死，免得被擒受辱！」

林沖、徐寧、索超、張清、湯隆、李雲、郁保四七個頭領，擁著宋江，團聚一塊，都道：「我等願隨兄長，為厲鬼殺賊！」郁保四到如此窘迫慌亂的地位，身上又中了兩矢，那面帥字旗兀是挺挺的捧著，緊緊跟隨宋先鋒，不離尺寸。北軍見帥字旗未倒，不敢胡亂上前。

宋江等已掣劍在手，都欲自刎，猛見一個人走向前來，止住眾人道：「休要如此，眾人勿憂。我位尊戊己◈，見汝等忠義，特來剋那妖水，救汝等歸寨。」

眾將看那人時，生得奇異：頭長兩塊肉角，遍體青黑色，赤髮裸形，下體穿條黃褌◈，左手執一個鈴鐸。

那人就地撮把土，望著那前面海大般白浪滔天的水只一撒，轉眼間，就現

◈位尊戊己──指土神。陰陽家以為土神處在戊己位置上。土能剋水。　褌──褲子。褌音昆。

出原來平地，對眾人道：「汝等應有數日災厄。今妖水已滅，可速歸營，差人到衛州，方可解救。汝等勉力報國！」

言訖，化陣旋風，寂然不見。眾人驚訝不已，保護宋江投奔南來。行過五六里，忽見塵頭起處，又有一彪兵馬，自南而來，卻是吳用同王英、扈三娘、孫新、顧大嫂、解珍、解寶，領兵一萬，前來接應。

宋江對吳用道：「不聽賢弟之言，險些兒不得相見！」

吳用道：「且到寨中再說。」眾人次第入到寨裡，把那兵敗被困遇神的事備述。

吳用以手加額道：「位尊戊己，土神也！兄長忠義，感動后土之神，土能剋水。」宋江等方才省悟，望空拜謝。

此時天色將暮，有敗殘軍士逃回，說混亂之中，又被昭德城中孫琪、葉聲、金鼎、黃鉞等開南門領兵掩殺，死者甚眾，其餘四散逃竄。宋江計點軍士，損折萬餘。

吳用對宋江道：「賊人會使妖術，連勝兩陣，可速用計準備，提防劫寨。況我兵驚恐，凡杯蛇鬼車◈，風兵草甲◈，無往非撼志之物。當空著此寨，只將羊蹄點鼓，我等大兵，退十里另紮營寨。」

當下宋江傳令，大兵退十里。吳學究又教宋先鋒傳令，須分紮營寨，大寨包小寨，隅落鈎連◈，曲折相對，如李藥師「六花陣」之法。眾將遵令。紮寨方畢，忽報樊瑞奉令從壺關馳到。

入寨參見了宋先鋒，問知喬道清備細，樊瑞道：「兄長放心，無非是妖術，待樊某明日作法擒他。」

吳用道：「他若不來搦戰，我這裡只按兵不動，待公孫一清到來，再作計較。」

宋江便令張清、王英、解珍、解寶，領輕騎五百，星夜出關，馳往衛州，

◈**杯蛇鬼車**──指因疑慮、驚懼導致幻覺中產生的怪物。杯蛇，「杯弓蛇影」之省。鬼車，傳說中的九頭鳥。

風兵草甲──指草木皆兵。 **隅落鈎連**──角落處相互鈎連接觸。

接取公孫勝，到此破敵解救。張清等扎掂馬匹，辭別宋江去了。當下宋兵深栽鹿角，牢豎柵寨，弓上弦，刀出鞘，帶甲枕戈，提鈴喝號。宋江等秉燭待旦，不題。

再說喬道清用術困住宋江，正待上前擒捉，忽見前面水無涓滴，宋江等已遁去，驚疑不已道：「我這法非同小可，他如何便曉得解破？想軍中必有異人。」

當下收兵，同孫琪等入城，升坐帥府。孫琪等一面設宴慶賀。軍士將魯智深、武松、劉唐，又先捉得李逵、鮑旭、項充、李袞、唐斌綁縛解到帳前。孫琪立在喬道清左側，看見唐斌，便罵道：「反賊！晉王不曾負你！」唐斌喝道：「你們的死期也到了！」喬道清叫眾人都說姓名上來。李逵睜圓怪眼，倒豎虎鬚，挺胸大罵道：「賊道聽著！我是黑爺爺黑旋風李逵！」魯智深、武松等都由他問，氣憤憤的只不開口。喬道清教：「拿那廝們的軍卒上來！」無移時，刀斧手將軍卒解到。

喬道清一一問過，知道他們都是宋兵中勇將，便對眾人道：「你們若肯歸降，待我奏過晉王，都大大的封你們官爵。」

李逵大叫如雷道：「你看老爺輩是甚麼樣人？你卻放那鳥屁！你要砍黑爺爺，憑你拿去，砍上幾百刀，若是黑爺爺皺眉，就不算好漢！」

魯智深、武松、劉唐等齊聲罵道：「妖道，你休要做夢！我這幾個兄弟的頭可斷，這幾條鐵腿屈不轉的。」

喬道清大怒，喝教都推出去，斬訖來報。魯智深呵呵大笑道：「洒家視死如歸，今日死得正路。」刀斧手簇擁著眾人下去。

喬道清心中思想：「我從來不曾見恁般的硬漢，且留著他們，卻再理會。」當下喬道清急忙傳令，教軍士且把這夥人放轉，監禁聽候。

武松罵道：「腌臢反賊，早早把俺砍了乾淨！」喬道清低頭不語，眾軍卒

◈**扎掂**—準備妥當。掂音顛。　**帶甲枕戈**—以戈為枕，披甲而坐。形容常備不懈，時刻準備作戰。

提鈴喝號—提著鈴鐺，有警即鳴，互相叫著口號，以為戒備。

把李逵等一行人監禁去了。

喬道清見「三昧神水」的法不靈，心中已有幾分疑慮，只在城中屯紮，探聽宋兵的動靜，因此兩家都按兵不動。一連的過了五六日，聶新、馮玘領大兵已到，入城參見喬道清，盡將兵馬收入城中紮駐。

喬道清見宋兵緊守營寨，不來廝殺，料無別謀。整點軍馬，統領將佐，同孫琪、戴美、聶新、馮玘等領兵二萬，五鼓出城，紮寨城南五龍山，平明進兵。

喬道清對孫琪道：「今日必要擒捉宋江，恢復壺關。」

孫琪道：「全賴國師相公法力。」

當下喬道清統領軍馬一萬，望宋江大寨殺來。小軍探聽得實，飛報宋先鋒。宋江令樊瑞、單廷珪、魏定國整點軍兵，拴縛馬匹，準備迎敵。喬道清在高阜處觀看宋兵營寨，但見：

四面八向之有準，前後左右之相救；

門戶開闢之有法，吸呼聯絡之有度。

喬道清暗暗喝采。只聽得宋寨中一聲炮響，寨門開處，擁出一彪軍來。兩陣裡彩旗招動，鼉鼓振天。

喬道清下高阜，出到陣前，雷震、倪麟、費珍、薛燦擁護左右。宋陣裡旌旗開處，一將縱馬出陣，正是混世魔王樊瑞，手仗寶劍，指著喬道清大罵：「賊道，怎敢逞凶！」

喬道清心中思忖道：「此人一定會些法術，我且試他一試。」便對樊瑞喝道：「無知敗將，敢出穢言！你敢與我比武藝麼？」樊瑞道：「你要比武藝，上前來吃我一劍！」兩軍吶喊擂鼓。

樊瑞拍馬挺劍，直取喬道清。道清躍馬揮劍相迎。二劍並舉，兩魔相鬥。起先兀是兩騎馬絞做一團廝殺，次後各運神通，只見兩股黑氣，在陣前左旋右轉，一往一來的亂滾。兩邊軍士，都看得呆了。樊瑞戰到酣處，覷個破綻，望喬道清一劍砍去，只砍個空，險些兒攧下馬來。

原來喬道清故意賣個破綻，哄樊瑞砍來，自己卻使個烏龍蛻骨之法，早已歸到陣前，呵呵大笑。樊瑞惶恐歸陣。

宋陣左右門旗開處，左邊飛出聖水將軍單廷珪，領五百步兵，盡是黑旗黑甲，手執團牌標槍，鋼叉利刃；右邊飛出神火將軍魏定國，領五百火軍，身穿絳衣，手執火器，前後擁出五十輛火車，車上都裝蘆葦引火之物。軍人背上各拴鐵葫蘆一個，內藏硫黃焰硝，五色煙藥，一齊點著。那兩路軍兵，左邊的烏雲捲地，右邊的烈火飛騰，一哄衝殺過來，北軍驚懼欲退。

喬道清喝道：「退後者斬！」右手仗著寶劍，口中念念有詞，霎時烏雲蓋地，風雷大作，降下一陣大塊冰雹，望聖水、神火軍中亂打下來，霹靂交加，火焰滅絕。眾軍被冰雹打得星落雲散，抱頭鼠竄。單廷珪、魏定國嚇得魂不附體，舉手無措，抵死逃回本陣。聖水、神火將軍，以此翻成畫餅。

須臾，雹散雲收，仍是青天白日，地上兀是有如雞卵似拳頭的無數冰塊。喬道清看宋軍時，打得頭損額破，眼瞎鼻歪，踏著冰塊，便滑一跌。

喬道清揚威耀武高叫道：「宋兵中再有手段高強，神通廣大的麼？」樊瑞羞忿交集，披髮仗劍，立於馬上，使盡平生法力，口中念動咒語，只見狂風四起，飛沙走石，天愁地暗，日色無光。

樊瑞招動人馬，衝殺過來，喬道清笑道：「量你這鳥術，幹得甚事！」便也仗劍作法，口中念念有詞。只見風盡隨著宋軍亂滾，半空中又是一聲霹靂，無數神兵天將，殺將下來。宋陣中馬嘶人喊，亂竄起來。喬道清同四個偏將，縱軍掩殺。樊瑞法術不靈，抵擋不住，回馬便走。

北軍追趕上來，正在萬分危急，猛見宋寨中一道金光射來，把風沙衝散，那些天兵神將，都亂紛紛墜落陣前。眾人看時，卻是五彩紙剪就的。喬道清見破了「神兵法」，大展神通，披髮仗劍，捏訣念咒，喝聲道：「疾！」又使出「三昧神水」的法來。

須臾，有千萬道黑氣從壬癸方滾來。只見宋陣中一個先生，驟馬出陣，仗口松紋古定劍，口中念念有詞，喝聲道：「疾！」猛見半空裡有許多黃袍神將，飛向北去，把那黑氣衝滅。喬道清吃了一驚，手足無措。宋軍見這個先生破了妖術，齊聲大罵：「喬道清妖賊，如今有手段高強的來了！」喬道清聽了這句，羞得徹耳通紅，望本陣便退。喬道清生平逞弄神通，今日垂首喪氣，正是：

總教掬盡三江水，難洗今朝一面羞。

畢竟宋江陣裡破妖術的先生是誰？且聽下回分解。

第九六回

幻魔君術窘五龍山 入雲龍兵圍百穀嶺

話說宋陣裡破喬道清妖術的那個先生，正是入雲龍公孫勝。

他在衛州接了宋先鋒將令，即同王英、張清、解珍、解寶，星夜趕到軍前，入寨參見了宋先鋒。恰遇喬道清逞弄妖法，戰敗樊瑞。

那日是二月初八日，干支是戊午，戊屬土。當下公孫勝就請天干神將，剋破那壬癸水，掃蕩妖氛，現出青天白日。宋江、公孫勝兩騎馬同到陣前，看見喬道清羞慚滿面，領軍馬望南便走。

公孫勝對宋江道：「喬道清法敗奔走，若放他進城，便深根固蒂。兄長疾忙傳令，教徐寧、索超領兵五千，從東路抄至南門，絕住去路；王英、孫新領兵五千，馳往西門截住。如遇喬道清兵敗到來，只截住他進城的路，不必與他厮殺。」宋江依計傳令，分撥眾將遵令去了。

此時兀是巳牌時分，宋江同公孫勝統領林冲、張清、湯隆、李雲、扈三娘、顧大嫂七個頭領，軍馬二萬，趕殺前來。北將雷震等保護喬道清、且戰且走。前面又有軍馬到來，卻是孫琪、聶新領兵接應，合兵一處。剛到五龍山寨，聽得後面宋兵鳴鑼擂鼓，喊殺連天，飛趕上來。

孫琪道：「國師入寨駐紮，待孫某等與他決一死戰。」

喬道清在眾將面前誇了口，況且自來行法，不曾遇著對手，今被宋兵追迫，十分羞怒，便對孫琪道：「你們且退後，待我上前拒敵。」

即便勒兵列陣，一馬當先，雷震等將簇擁左右。喬道清高叫：「水洼草寇，焉得這般欺負人！俺再與你決個勝敗！」原來喬道清生長涇原，是極西北地面，與山東道路遙遠，不知宋江等眾兄弟詳細。

當下宋陣裡把旗左招右展，一起一伏，列成陣勢，兩陣相對，吹動畫角，戰鼓齊鳴。南陣裡黃旗磨動，門旗開處，兩騎馬出陣。中間馬上，坐著山東呼保義、及時雨宋公明；左手馬上，坐的是入雲龍公孫一清，手中仗劍，指著喬道清說道：「你那學術，都是外道，不聞正法，快下馬歸順！」喬道清仔細看時，正是那破法的先生。但見：

星冠攢玉，鶴氅縷金。
九宮衣服燦雲霞，六甲風雷藏寶訣。
腰繫雜色彩絲絛，手仗松紋古定劍。
穿一雙雲縫赤朝鞋，騎一匹黃驋昂首馬。
八字神眉杏子眼，一部掩口落腮鬍。

當下喬道清對公孫勝道：「今日偶爾行法不靈，我如何便降服你？」
公孫勝道：「你還敢逞弄那鳥術麼？」
喬道清喝道：「你也小覷俺，再看俺的法！」

喬道清抖擻精神，口中念念有詞，把手望費珍一招，只見費珍手中執的那條點鋼槍，卻似被人劈手一奪的忽地離了手，如騰蛇般飛起，望公孫勝刺來。公孫勝把劍望秦明一指：那條狼牙棍，早離了手，迎著鋼槍，一往一來，捽風般在空中相鬥。

兩軍迭聲喝采。猛可的一聲響，兩軍發喊，空中狼牙棍把槍打落下來，鼕的一聲，倒插在北軍戰鼓上，把戰鼓搠破。那司戰鼓的軍士，嚇得面如土色。那條狼牙棍，依然復在秦明手中，恰似不曾離手一般。宋軍笑得眼花沒縫。公孫勝喝道：「你在大匠面前弄斧！」

喬道清又捏訣念咒，把手望北一招，喝聲道：「疾！」只見北軍寨後五龍山凹裡，忽的一片黑雲飛起，雲中現出一條黑龍，張鱗鼓鬣◆，飛向前來。公孫勝呵呵大笑，把手也望五龍山一招，只見五龍山凹裡，如飛電般掣出一條黃龍，半雲半霧，迎住黑龍，空中相鬥。

◆鬣——獸頸上的長毛。

喬道清又叫：「青龍快來！」只見山頂上飛出一條青龍，隨後又有白龍飛出，趕上前迎住。兩軍看得目瞪口呆。

喬道清仗劍大叫：「赤龍快出幫助！」須臾，山凹裡又騰出一條赤龍，飛舞前來。五條龍向空中亂舞，正按著金、木、水、火、土五行，互生互剋，攪做一團。狂風大起，兩陣裡捧旗的軍士，被風捲動，一連攧翻了數十個。

公孫勝左手仗劍，右手把麈尾望空一擲，那麈尾在空中打個滾，化成鴻雁般一隻鳥飛起去。須臾，漸高漸大，扶搖而上，直到九霄空裡，化成個大鵬，翼若垂天之雲，望著那五條龍撲擊下來。只聽得刮刺刺地響，卻似青天裡打個霹靂，把那五條龍撲打得鱗散甲飄。

原來五龍山有段靈異，山中常有五色雲現。龍神托夢居民，因此起建廟宇，中間供個龍王牌位。又按五方，塑成青、黃、赤、黑、白五條龍，按方向蟠旋於柱，都是泥塑金裝，彩畫就的。當下被二人用法遣來相鬥，被公孫勝用麈尾化成大鵬，將五條泥龍搏擊得粉碎，望北軍頭上，亂紛紛打將下來。北軍發喊，躲避不迭，被那年久乾硬的泥塊打得臉破額穿，鮮血迸流，登時打傷二百餘人，軍中亂竄。

喬道清束手無術，不能解放，半空裡落下個黃泥龍尾，把喬道清劈頭一下，險些兒將頭打破，把個道冠打癟。公孫勝把手一招，大鵬寂然不見，麈尾仍歸手中。

喬道清再要使妖術時，被公孫勝運動「五雷正法」的神通，頭上現出一尊金甲神人，大喝：「喬冽下馬受縛！」

喬道清口中喃喃吶吶的念咒，並無一毫兒靈驗，慌得喬道清舉手無措，拍馬望本陣便走。林沖縱馬拈矛趕來，大喝：「妖道休走！」北陣裡倪麟提刀躍馬接住。雷震驟馬挺戟助戰，這裡湯隆飛馬，使鐵瓜鎚架住。

兩軍迭聲吶喊，四員將兩對兒在陣前廝殺。倪麟與林沖鬥過二十餘合，不分勝敗。林沖覷個破綻，一矛搠中馬腿，那馬便倒，把倪麟攧翻下來，被林沖向心窩卡察的一槍搠死。雷震正與湯隆戰到酣處，見倪麟落馬，賣個破綻，撥馬便走，被湯隆趕上，把鐵瓜鎚照頂門一下，連盔帶頭打碎，死於馬下。宋江將鞭梢一指，張清、李雲、扈三娘、顧大嫂一齊衝殺過來。北軍大亂，四散亂竄逃生，殺死者甚眾。

孫琪、聶新、費珍、薛燦保護喬道清，棄了五龍山寨，領兵欲進昭德。轉過山坡，離城尚有六七里，只聽得前面戰鼓喧天，喊聲大振，東首小路撞出一彪兵來，當先二將，乃是金槍手徐寧，急先鋒索超。兩軍未及交鋒，昭德城內見城外厮殺，守將戴美、翁奎領兵五千，開南門出城接應，徐寧、索超分頭拒敵。

索超分兵二千，向北抵敵，戴美當先，與索超鬥十餘合，被索超揮金蘸斧，砍為兩段。翁奎急領兵入城，索超趕殺上去，殺死北軍一百餘人，直趕至南門城下，翁奎兵馬已是進城去了。急拽起吊橋，緊閉城門，城上檑木炮石，如雨般打將下來，索超只得回兵。

再說徐寧領兵三千，攔住北軍去路。北軍雖是折了一陣，此時尚有二萬餘人。孫琪、聶新二將敵住徐寧兵馬。費珍、薛燦無心戀戰，領五千兵馬，保護喬道清投西奔走。這裡徐寧力敵孫琪、聶新二將，被北軍圍裏上來，正是寡不敵眾，看看圍在垓心。卻得索超、宋江南北兩路兵都到，孫琪、聶新當不得三面攻擊，聶新被徐寧一金槍刺中左臂，墜於馬下，被人馬踐踏如泥。孫琪奪路要走，被張清趕上，手起一槍，搠中後心，撞下馬來。

北兵大敗虧輸，三萬軍馬，殺死大半。殺得屍橫遍野，流血成河，棄下金鼓旗旛，盔甲馬匹無數，其餘兵馬，四散逃走去了。

宋江、公孫勝、林沖、張清、湯隆、李雲、扈三娘、顧大嫂與徐寧、索超合兵一處，共是二萬五千，聞喬道清同費珍、薛燦領五千兵馬，望西逃遁，欲上前追趕。此時已是申牌時分，兵馬鏖戰一日，飢餓困罷。

宋先鋒正欲收兵回寨食息，忽報軍師吳用知宋先鋒等兵馬鏖戰多時，特令樊瑞、單廷珪、魏定國整點兵馬一萬，準備火把火炬，前來接應。宋先鋒大喜。公孫勝道：「既有這支軍馬，兄長同眾頭領回寨食息，小弟同樊、單、魏三位頭領，領兵追趕喬道清，務要降服那廝。」

宋江道：「賴賢弟神功，解救災厄。賢弟遠來勞頓，同回大寨歇息了，明日卻再理會。喬道清這廝，法破計窮，料無他虞。」

公孫勝道：「兄長有所不知。本師羅真人常對小弟說：『涇原有個喬洌，他有道骨，曾來訪道，我暫且拒他，因他魔心正重，亦是下土◈生靈造惡，殺運未終。他後來魔心漸退，機緣到來，遇德而服。恰有機緣遇汝，汝可點化他，後來亦得了悟玄微◈，日後亦有用著他處。』

「小弟在衛州，遵令前來，於路問妖人來歷，張將軍說降將耿恭知他備細，道是喬道清即涇縣喬洌。適才見他的法，與小弟比肩相似，小弟卻得本師羅真人傳授五雷正法，所以破得他的法。此城叫做昭德，合了本師『遇德魔降』的法語。若放他逃遁，倘此人墮陷魔障，有違本師法旨。此機會不可錯過，小弟即刻就領兵追趕，相機降服他。」

只一席話，說得宋江心胸豁然，稱謝不已。當下同眾將統領軍馬，回營食息。公孫勝同樊瑞、單廷珪、魏定國統領一萬軍馬，追趕喬道清，不題。

再說喬道清同費珍、薛燦領敗殘兵馬五千，奔竄到昭德城西，欲從西門進城，猛聽得鼓角齊鳴，前面密林後飛出一彪軍來，當先二將，乃是矮腳虎王英、小尉遲孫新，領五千兵，排開陣勢，截住去路。

費珍、薛燦抵死衝突。孫新、王英奉公孫一清的令，只不容他進城，卻不來趕殺，讓他望北去了。城中知喬道清術窘，大敗虧輸，宋兵勢大，惟恐城池有失，緊緊的閉了城門，哪裡敢出來接應。

無移時，孫新、王英見公孫勝同樊瑞、單廷珪、魏定國領兵飛趕上來。公孫勝道：「兩位頭領，且到大寨食息，待貧道自去趕他。」孫新、王英依令回寨。此時已是酉牌時分。卻說喬道清同費珍、薛燦領

◈下土—指天下。　玄微—玄，深邃莫測。微，微妙難言。

敗殘兵馬，急急如喪家之狗，忙忙似漏網之魚，望北奔馳。公孫勝同樊瑞、單廷珪、魏定國領兵一萬，隨後緊緊追趕。

公孫勝高叫道：「喬道清快下馬降順，休得執迷！」

喬道清在前面馬上高聲答道：「人各為其主，你何故逼我太甚？」

此時天色已暮，宋兵燃點火炬火把，火光照耀如白晝一般。喬道清回顧左右，只有費珍、薛燦及三十餘騎，其餘人馬，已四散逃竄去了。

喬道清欲拔劍自刎，費珍慌忙奪住道：「國師不必如此。」用手向前面一座山指道：「此嶺可以藏匿。」

喬道清計窮力竭，隨同二將馳入山嶺。原來昭德城東北，有座百穀嶺，相傳為神農嘗百穀處，山中有座神農廟。喬道清同費、薛二將，屯紮神農廟中，手下只有十五、六騎。只因公孫勝要降服他，所以容他遁入嶺中，不然宋兵趕上，就是一萬個喬道清也殺了。

話不絮煩。卻說公孫勝知喬道清遁入百穀嶺，即將兵馬分四路，紮立營寨，將百谷穀嶺四面圍住。至二更時分，忽見東西兩路火光大起，卻是宋先鋒回寨，復令林沖、張清各領兵五千，連夜哨探到來。與公孫勝合兵一處，共是二萬人馬，分頭紮寨，圍困喬道清，不題。

且說宋江次日探知喬道清被公孫勝等將兵馬圍困於百穀嶺，即與吳學究計議攻城。傳令大兵拔寨起營，到昭德城下。宋江分撥將佐到昭德，圍得水洩不通。城中守將葉聲等，堅守城池。宋兵一連攻打二日，城尚不破。宋江在城南寨中見攻城不下，十分憂悶，李逵等被陷，不知性命如何，不覺潸然淚下。

軍師吳用勸道：「兄長不必煩悶，只消用幾張紙，此城唾手可得。」宋江忙問道：「軍師有何良策？」當下吳學究不慌不忙，疊著兩個指頭，說出這條計來，有分教：兵不血刃孤城破，將士投戈百姓安。

畢竟吳學究說出甚麼來？且聽下回分解。

第九七回 陳瓘諫官升安撫 瓊英處女做先鋒

話說當下吳用對宋江道：「城中軍馬單弱，前日恃喬道清妖術，今知喬道清敗困，外援不至，如何不驚恐！小弟今晨上雲梯觀望，見守城軍士，都有驚懼之色。今當乘其驚懼，開以自新之路，明其利害之機，城中必縛將出降，兵不血刃◆，此城唾手可得。」

宋江大喜道：「軍師之謀甚善！」當下計議，寫成數十道曉諭的兵檄，其詞云：

大宋征北正先鋒宋江，示諭昭德州守城將士軍民人等知悉：田虎叛逆，法在必誅，其餘脅從，情有可原。守城將士，能反邪歸正，改過自新，率領軍民，開門降納，定行保奏朝廷，赦罪錄用。如將士怙終不悛，爾等軍民，俱係宋朝赤子，速當興舉大義，擒縛將士，歸順天朝。為首的定行重賞，奏請優敘。如執迷逡巡，城破之日，玉石俱焚，孑遺靡有◈。特諭。

宋江令軍士將曉諭拴縛箭矢，四面射入城中。傳令各門稍緩攻擊，看城中動靜。

次日平明，只聽得城中吶喊振天，四門豎起降旗，守城偏將金鼎、黃鉞聚集軍民，殺死副將葉聲、牛庚、冷寧，將三個首級懸掛竿首，挑示宋軍。牢中放出李逵、魯智深、武松、劉唐、鮑旭、項充、李衮、唐斌，俱用轎扛抬，大開城門，擁送出城。軍民香花燈燭，迎接宋兵入城。宋先鋒大喜，傳諭各門將佐，統領軍馬，次第入城。兵不血刃，百姓秋

◈兵不血刃—尚未實際交戰，即已征服敵人。用來比喻輕易得勝。　孑遺靡有—指沒有剩餘。

毫無犯，歡聲雷動。

宋江到帥府升坐，魯智深等八人前來參拜道：「哥哥，萬分不得相見了！今賴兄長威力，復得聚首，恍如夢中。」宋江等眾人，俱感泣淚下。次後，金鼎、黃鉞率領翁奎、蔡澤、楊春上前參拜。宋江連忙答拜，扶起道：「將軍等興舉大義，保全生靈，此不世之勳也。」黃鉞等道：「某等不能速來歸順，罪不可逭◆。反蒙先鋒厚禮，真是銘心刻骨，誓死圖報！」黃鉞等又將魯智深、李逵等罵賊不屈的事情，備細陳說。宋江感泣稱讚。

李逵道：「俺聽得說那賊鳥道在百穀嶺，待俺去砍那撮鳥一百斧，出那口鳥氣！」

宋江道：「喬道清被一清兄弟圍困百穀嶺，欲降服他。羅真人已有法旨，兄弟不可造次。」

魯智深對李逵道：「兄長之命，安敢不遵？」李逵方才肯住。

當下宋先鋒出榜，安撫百姓，賞勞三軍將佐，標寫公孫勝、金鼎、黃鉞功次。正在料理軍務，忽報神行太保戴宗自晉寧回。戴宗入府參見，宋先鋒忙問晉寧消息。

戴宗道：「小弟蒙兄長差遣到晉寧，盧先鋒正在攻打城池。他道：『待盧某克了城池，卻好到兄長處報捷。』故此留小弟在彼，一連住了三四日。晉寧急切攻打不下，到今月初六日，是夜重霧，咫尺不辨，盧先鋒令軍士悄地囊土填積城下。

「至三更時分，城東北守禦稍懈，我兵潛上土囊，攀援登城，殺死守城將士一十三員。田彪開北門衝突，捨命逃遁，其餘牙將俱降。獲戰馬五千餘匹，投降軍士二萬餘人，殺死者甚眾。當下盧先鋒克了晉寧，天明霧霽，正在安撫料理，忽報威勝田虎，差殿帥孫安統領將佐十員，軍馬二萬，前來救援，離城十里下寨。

◈罪不可逭——罪刑無法逃避。逭音換。

「盧先鋒即令秦明、楊志、歐鵬、鄧飛領兵出城迎敵，盧先鋒親自領兵接應，當下秦明與孫安戰到五、六十合，不分勝負。盧先鋒兵到，見孫安勇猛，盧先鋒令鳴金收兵。孫安亦自收兵，各立營寨。盧先鋒回寨，說孫安勇猛，只可智取，不可力敵。

「次日，分撥軍馬埋伏，盧先鋒親自出陣，與孫安戰到五十餘合，孫安戰馬忽然前失，把孫安攧下馬來。盧先鋒喝道：『此非汝戰敗之罪，快換馬來戰！』孫安換馬，又與盧先鋒鬥過五十餘合。

「盧先鋒佯敗奔走，誘孫安趕到林子邊，一聲炮響，兩邊伏兵齊出，孫安措手不及，被兩邊拋出絆馬索，將孫安絆倒，眾軍趕上，連人和馬，生擒活捉。北陣裡秦英、陸清、姚約三將齊出，救奪孫安，那邊楊志、歐鵬、鄧飛齊出接住。

「六騎馬捉對兒廝殺，到間深處，只見楊志大喝一聲，只一槍，將秦英搠下馬來。陸清與歐鵬正鬥，被歐鵬賣個破綻，賺陸清一刀砍來，歐鵬把身一閃，陸清砍個空，收刀不迭，被歐鵬照後心一槍刺死。

「姚約見二人落馬，撥馬望本陣便走，被鄧飛趕上，舉鐵鏈當頭一下，把姚約連盔透頂，打個粉碎。盧先鋒驅兵掩殺，北兵大敗，殺死四五千人，北軍退十里下寨。我兵得勝進城，眾軍卒把孫安綁縛解來。盧先鋒親釋其縛，待以厚禮，勸孫安歸順天朝。孫安見盧先鋒如此義氣，情願降順。

「孫安對盧先鋒說道：『城外尚有七員將佐，軍馬一萬五千，容孫某出城，招他來降。』盧先鋒怛然◈無疑，放孫安出城。孫安單騎到北寨，說降七將，都來參見盧先鋒。盧先鋒大喜，置酒管待。

「孫安說：『某與喬道清同領兵離威勝，喬道清往救壺關。此人素有妖術，恐宋先鋒處羅其荼毒。喬道清與孫某同鄉，孫某感將軍厚恩，願往壺關探聽消息，說喬道清歸順。』盧先鋒依允，遂令小弟領孫安同來報捷。盧先鋒令宣贊、郝思文、呂方、郭盛管領兵馬二萬，鎮守晉寧。

◈怛然──驚愕的樣子。怛音達。

「盧先鋒統領其餘將佐，兵馬二萬，望汾陽進征。戴某昨日於晉寧起程，替孫安也作起神行法。今日於路，已聞得兄長兵圍昭德，喬道清被困。比及到城外，又知兄長大兵進城，特來參見哥哥。孫安現在府門外伺候。」

宋江大喜，令戴宗引孫安進見。戴宗遵令，領孫安入府，上前參見。宋江看孫安軒昂魁偉，一表非俗，下階迎接。

孫安納頭便拜道：「孫某抗拒大兵，罪該萬死！」

宋江答拜不迭道：「將軍反邪歸正，與宋某同滅田虎，回朝報奏朝廷，自當錄用。」孫安拜謝起立。宋先鋒命坐，置酒管待。

孫安道：「喬道清妖術利害，今幸公孫先生解破。」

宋江道：「公孫一清欲降服他，授以正法。今圍困三四日，尚未有降意。」

孫安道：「此人與孫某最厚，當說他來降。」當下宋先鋒令戴宗同孫安出北門，到公孫勝寨中。相見已畢，戴宗、孫安將來意備細對公孫勝說了。一清大喜，即令孫安入嶺，尋覓喬道清。孫安領命，單騎上嶺。

卻說喬道清與費珍、薛燦，與十五、六個軍士藏匿在神農廟裡，與本廟道人借索些粗糲充飢。這廟裡只有三個道人，被喬道清等將他累月募化◈積下的飯來都吃盡了，又見他人眾，只得忍氣吞聲。

是日，喬道清聽得城中吶喊，便出廟登高崖瞭望，見城外兵已解圍，門內有人馬出入，知宋兵已是入城。正在嗟嘆，忽見崖畔樹林中走出一個樵者，腰插柯斧，將扁擔做個拐杖，一步步捉腳兒走上崖來。口中念著個歌兒道：

上山如挽舟，下山如順流。挽舟當自戒，順流常自由。
我今上山者，預為下山謀。

喬道清聽了這六句樵歌，心中頗覺恍然，便問道：「你知城中消息麼？」樵叟道：「金鼎、黃鉞殺了副將葉聲，已將城池歸順宋朝。宋江兵不血

◈募化──僧尼等求人布施財物。也稱為「化緣」。

刃，得了昭德。」喬道清道：「原來如此！」那樵者說罷，轉過石崖，望山坡後去了。喬道清又見一人一騎，尋路上嶺，漸近廟前。

喬道清下崖觀看，吃了一驚，原來是殿帥孫安。「他為何便到此處？」孫安下馬，上前敘禮畢。

喬道清忙問：「殿帥領兵往晉寧，為何獨自到此？嶺下有許多軍馬，如何不攔擋？」

孫安道：「好教兄長得知。」喬道清見孫安不稱國師，已有三分疑慮。

孫安道：「且到廟中，細細備述。」二人進廟，費珍、薛燦都來相見畢，孫安方把在晉寧被獲投降的事，說了一遍。喬道清默然無語。

孫安道：「兄長休要狐疑。宋先鋒等十分義氣，我等投在麾下，歸順天朝，後來亦得個結果。孫某此來，特為兄長。兄長往時曾訪羅真人否？」

喬道清忙問：「你如何知道？」

孫安道：「羅真人不接見兄長，令童子傳命，說你後來『遇德魔降』，這句話有麼？」喬道清連忙答道：「有，有。」

孫安道：「破兄長法的這個人，你認得麼？」

喬道清道：「他是我對頭。只知他是宋軍中人，卻不知道他的來歷。」

孫安道：「則他便是羅真人徒弟，叫做公孫勝，宋先鋒的副軍師。這句法語，也是他對小弟說的。此城叫做昭德，兄長法破，可不是合了『遇德魔降』的說話？公孫勝專為真人法旨，要點化你，同歸正道，所以將兵馬圍困，不上山來擒捉。他既法可以勝你，他若要害你，此又何難？兄長不可執迷。」

喬道清言下大悟，遂同孫安帶領費珍、薛燦下嶺，到公孫勝軍前。

孫安先入營報知，公孫勝出寨迎接。

喬道清入寨，拜伏請罪道：「蒙法師仁愛，為喬某一人致勞大軍，喬某之罪益深！」公孫勝大喜，答拜不迭，以賓禮相待。

喬道清見公孫勝如此義氣，便道：「喬某有眼不識好人，今日得侍法師左右，平生有幸。」

公孫勝傳令解圍，樊瑞等眾將，四面拔寨都起。公孫勝率領喬道清、費珍、薛燦入城，參見宋先鋒，宋江以禮相待，用好言撫慰。喬道清見宋江謙和，愈加欽服。少頃，樊瑞、單廷珪、魏定國、林冲、張清都到。宋江傳令，將軍馬盡數收入城中屯住。當下宋江置酒慶賀。

席間公孫勝對喬道清說：「足下這法，上等不比諸佛菩薩，累劫修來，證入虛空三昧，自在神通。中等不比蓬萊三十六洞真仙，準幾十年抽添水火，換髓移筋，方得超形度世，遊戲造化。你不過憑著符咒，襲取一時，盜竊天地之精英，假借鬼神之運用，在佛家謂之『金剛禪邪法』，在仙家謂之『幻術』。若認此法便可超凡入聖，豈非毫釐千里之謬！」

喬道清聽罷，似夢方覺。當下拜公孫勝為師。宋江等聽公孫勝說得明白玄妙，都稱讚公孫勝的神功道德。當日酒散，一宿無話。

次日，宋江令蕭讓寫表，申奏朝廷，得了晉寧、昭德二府。寫書申呈宿太尉報捷，其衛州、晉寧、昭德、蓋州、陵川、高平六府州縣缺的官，乞太尉擇賢能堪任的，奏請速補，更替將領征進。

當下蕭讓書寫停當，宋江令戴宗齎捧，即日起程。戴宗遵令，拴縛行囊包裹，齎捧表文書札，選個輕捷軍士跟隨，辭別宋先鋒，作起神行法，次日便到東京。先往宿太尉府中呈遞書札，恰遇宿太尉在府。戴宗在府前，尋得個本府楊虞候，先送了些人事銀兩，然後把書札相煩轉達太尉。楊虞候接書入府。

少頃，楊虞候出來喚道：「太尉有鈞旨，呼喚頭領。」戴宗跟隨虞候進府，只見太尉正在廳上坐地，拆書觀看。戴宗上前參見。

太尉道：「正在緊要的時節，來得恁般湊巧！前日正被蔡京、童貫、高俅在天子面前，劾奏你的哥哥宋先鋒覆軍殺將，喪師辱國，大肆誹謗，欲皇上加罪。天子猶豫不決，卻被右正言陳瓘上疏，劾蔡京、童貫、高俅誣陷忠良，排擠善類，說汝等兵馬，已度壺關險隘，乞治蔡京等欺妄之罪。以此忤了蔡太師，尋他罪過。

「昨日奏過天子說：『陳瓘撰《尊堯錄》，他尊神宗為堯，即寓訕◈陛下之意，乞治陳瓘訕上之罪。』幸得天子不即加罪。今日得汝捷報，不但陳瓘有顏，連我也放下許多憂悶。明日早朝，我將汝奏捷表文上達。」

戴宗再拜稱謝，出府覓個寓所，安歇聽候，不在話下。

且說宿太尉次日早朝入內，道君皇帝在文德殿朝見文武。宿太尉拜舞三呼畢，將宋江捷表奏聞，說宋江等征討田虎，前後共克復六府州縣，今差人齎捧捷表上聞。天子龍顏欣悅。

宿元景又奏道：「正言陳瓘撰《尊堯錄》，以先帝神宗為堯，陛下為舜，尊堯何得為罪？陳瓘素剛正不屈，遇事敢言，素有膽略，乞陛下加封陳瓘官爵，敕陳瓘到河北監督兵馬，必成大功。」

天子准奏，隨即降旨：「陳瓘於原官上加升樞密院同知，著他為安撫，統領御營軍馬二萬，前往宋江軍前督戰，並齎賞銀兩，犒勞將佐軍卒。」

當下朝散，宿太尉回到私第◆，喚戴宗打發回書。戴宗已知有了聖旨，拜辭宿太尉，離了東京，作起神行法，次日已到昭德城中。往返東京，剛剛四日。

宋江正在整點兵馬，商議進征，見戴宗回來，忙問奏聞消息。戴宗將宿太尉回書呈上。宋江拆開看罷，將書中備細，一一對眾頭領說知。眾人都道：「難得陳安撫恁般肝膽，我們也不枉在這裡出力。」宋江傳令，待接了敕旨，然後進征。眾將遵令，在城屯駐，不在話下。

卻說昭德城北潞城縣，是本府屬縣。城中守將池方，探知喬道清圍困時，便星夜差人到威勝田虎處申報告急。田虎手下偽省院官，接了潞城池方告急申文，正欲奏知田虎，忽報晉寧已失，御弟三大王田彪只逃得性命到此。說言未畢，恰好田彪已到。

田彪同省院官入內，拜見田虎。田彪放聲大哭說：「宋兵勢大，被他打

◈訕——誹謗、嘲諷。　私第——私有的住宅。相對於官舍而言。

破晉寧城池，殺了兒子田實，臣只逃得性命至此。失地喪師，臣該萬死！」說罷又哭。

那邊省院官又啟奏道：「臣適才接得潞城守將池方申文，說喬國師已被宋兵圍困，昭德危在旦夕。」

田虎聞奏大驚，會集文武眾官，右丞相太師卞祥、樞密官范權、統軍大將馬靈等當廷商議：「即日宋江侵奪邊界，占了我兩座大郡，殺死眾多兵將，喬道清已被他圍困，汝等如何處置？」

當有國舅鄔梨奏道：「主上勿憂！臣受國恩，願部領軍馬，剋日興師，前往昭德，務要擒獲宋江等眾，恢復原奪城池。」

那鄔梨國舅原是威勝富戶，鄔梨入骨好使槍棒，兩臂有千斤力氣，開得好硬弓，慣使一柄五十斤重潑風大刀。田虎知他幼妹大有姿色，便娶來為妻，遂將鄔梨封為樞密，稱做國舅。

當下鄔梨國舅又奏道：「臣幼女瓊英，近夢神人教授武藝，覺來便是膂力過人。不但武藝精熟，更有一件神異的手段，手飛石子，打擊禽鳥，百發百中，近來人都稱她做『瓊矢鏃』。臣保奏幼女為先鋒，必獲成功。」田虎隨即降旨，封瓊英為郡主。

鄔梨謝恩方畢，又有統軍大將馬靈奏道：「臣願部領軍馬，往汾陽退敵。」田虎大喜，都賜金印虎牌，賞賜明珠珍寶。鄔梨、馬靈各撥兵三萬，速便起兵前去。

不說馬靈統領偏牙將佐軍馬望汾陽進發，且說鄔梨國舅領了王旨兵符，下教場挑選兵馬三萬，整頓刀槍弓箭，一應器械。歸第領了女將瓊英為前部先鋒，入內辭別田虎，擺布起身。瓊英女領父命，統領軍馬，逕奔昭德來。只因這女將出征，有分教：貞烈女復不共戴天之仇，英雄將成琴瑟伉儷之好。

畢竟不知女將軍怎生搦戰？且聽下回分解。

第九八回

張清緣配瓊英
吳用計鴆鄔梨

話說鄔梨國舅，令郡主瓊英為先鋒，自己統領大軍隨後。那瓊英年方一十六歲，容貌如花的一個處女，原非鄔梨親生的。她本宗姓仇，父名申，祖居汾陽府介休縣，地名綿上。

那綿上，即春秋時晉文公求介之推不獲，以綿上為之田，就是這個綿上。那仇申頗有家貲，年已五旬，尚無子嗣。又值喪偶，續娶平遙縣宋有烈女兒為繼室，生下瓊英，年至十歲時，宋有烈身故，宋氏隨即同丈夫仇申往奔父喪。

那平遙是介休鄰縣，相去七十餘里。宋氏因路遠倉卒，留瓊英在家，吩咐主管葉清夫婦看管伏侍。自己同丈夫行至中途，突出一夥強人，殺了仇申，趕散莊客，將宋氏擄去。莊客逃回，報知葉清。

那葉清雖是個主管，倒也有些義氣，也會使槍弄棒。妻子安氏，頗是謹慎，當下葉清報知仇家親族，一面呈報官司，捕捉強人，一面埋葬家主屍首。仇氏親族，議立本宗一人，承繼家業。葉清同妻安氏兩口兒，看管小主女瓊英。

過了一年有餘，值田虎作亂，占了威勝，遣鄔梨分兵摽掠，到介休綿上，搶劫貲財，擄掠男婦。那仇氏嗣子，被亂兵所殺，葉清夫婦及瓊英女都被擄去。

那鄔梨也無子嗣，見瓊英眉清目秀，引來見老婆倪氏。那倪氏從未生育的，一見瓊英便十分愛她，卻似親生的一般。瓊英從小聰明，百伶百俐，料道在此不能脫生，又舉目無親，見倪氏愛她，便對倪氏說，向鄔梨討了葉清的妻安氏進來，因此安氏得與瓊英坐臥不離。

那葉清被擄時，他要脫身逃走，卻思想：「瓊英年幼，家主主母只有這點骨血，我若去了，便不知死活存亡。幸得妻子在彼，倘有機會，同她們脫得患難，家主死在九泉之下，亦是瞑目。」因此只得隨順了鄔梨。征戰有功，鄔梨將安氏給還葉清。安氏自此得出入帥府，傳遞消息與瓊英，鄔梨又奏過田虎，封葉清做個總管。葉清後被鄔梨差往石室山，採取木石。

部下軍士向山岡下指道：「此處有塊美石，白賽霜雪，一毫瑕疵兒也沒有。土人欲採取它，卻被一聲霹靂，把幾個採石的驚死，半晌方醒。因此人都囑指相戒，不敢近它。」

葉清聽說，同軍士到岡下看時，眾人發聲喊，都叫道：「奇怪！適才兀是一塊白石，卻怎麼就變做一個婦人的屍骸！」

葉清上前仔細觀看，恁般奇怪，原來是主母宋氏的屍首，面貌兀是如生，頭面破損處，卻似墜岡撞死的。葉清驚訝涕泣，正在沒理會處，卻有本部內一個軍卒，他原是田虎手下的馬圉◆，當下將宋氏被擄身死的根因，一一備細說道：「昔日大王初起兵的時節，在介休地方，擄了這個女子，欲將她做個壓寨夫人。

「那女子哄大王放了綁縛，行到此處，被那女子將身竄下高岡撞死。大王見她撞死，叫我下岡剝了她的衣服首飾。是小的伏侍她上馬，又是小的剝她的衣服，面貌認得仔細，千真萬真是她。今已三年有餘，屍骸如何兀是好好地？」

葉清聽罷，把那無窮的眼淚，都落在肚裡去了，便對軍士說：「我也認得不錯，卻是我的舊鄰宋老的女兒。」

葉清令軍士挑土來掩，上前看時，仍舊是塊白石。眾人十分驚訝嘆息，自去幹那採石的事。事畢，葉清回到威勝，將田虎殺仇申，擄宋氏，宋氏守節撞死這段事，教安氏密傳與瓊英知道。

◆馬圉——養馬的人。圉音語。

瓊英知了這個消息，如萬箭攢心，日夜吞聲飲泣，珠淚偷彈，思報父母之仇，時刻不忘。

從此每夜合眼，便見神人說：「妳欲報父母之仇，待我教妳武藝。」瓊英心靈性巧，覺來都是記得，她便悄地拿根桿棒，拴了房門，在房中演習，自此日久，武藝精熟。不覺挨至宣和四年的季冬，瓊英一夕，偶爾伏几假寐，猛聽得一陣風過，便覺異香撲鼻。忽見一個秀士，頭帶折角巾，引一個綠袍年少將軍來，教瓊英飛石子打擊。

那秀士又對瓊英說：「我特往高平，請得『天捷星』到此，教汝異術，救汝離虎窟，報親仇。此位將軍，又是汝宿世姻緣。」

瓊英聽了「宿世姻緣」四字，羞赧無地，忙將袖兒遮臉。才動手，卻把桌上剪刀撥動，鏗然有聲。猛然驚覺，寒月殘燈，依然在目，似夢非夢。瓊英兀坐，呆想了半晌，方才歇息。

次日，瓊英尚記得飛石子的法，便向牆邊揀取雞卵般一塊圓石，不知高低，試向臥房脊上的鴟尾打去，正打個著。一聲響亮，把個鴟尾打得粉碎，亂紛紛拋下地來，卻驚動了倪氏，忙來詢問。

瓊英將巧言支吾道：「夜來夢神人說：『汝父有王侯之分，特來教導妳的異術武藝，助汝父成功。』適才試將石子飛去，不想正打中了鴟尾。」

倪氏驚訝，便將這段話報知鄔梨。那鄔梨如何肯信，隨即喚出瓊英詢問，便把槍、刀、劍、戟、棍、棒、叉、鈀◈試她，果然件件精熟；更有飛石子的手段，百發百中。

鄔梨大驚，想道：「我真個有福分，天賜異人助我。」因此終日教導瓊英，馳馬試劍。

當下鄔梨家中將瓊英的手段傳出去，哄動了威勝城中人，都稱瓊英做「瓊矢鏃」。此時鄔梨欲擇佳婿，匹配瓊英，瓊英對倪氏說道：「若要匹配，只

◈鈀——武器名。狀似耙，有柄。

除是一般會打石的。若要配與他人，奴家只是個死。」倪氏對鄔梨說了。

鄔梨見瓊英題目太難，把擇婿事遂爾停止。今日鄔梨想著王侯二字，萌了異心，因此，保奏瓊英做先鋒，欲乘兩家爭鬥，他於中取事。當下鄔梨挑選軍兵，揀擇將佐，離了威勝。撥精兵五千，令瓊英為先鋒，自己統領大軍，隨後進征。

不說鄔梨、瓊英進兵，卻說宋江等在昭德，俟候迎接陳安撫。一連過了十餘日，方報陳安撫軍馬已到。宋江引眾將出郭遠遠迎接，入到昭德府內歇下，權為行軍帥府。諸將頭目盡來參見，施禮已畢。

陳安撫雖是素知宋江等忠義，卻無由與宋江覿面相會，今日見宋江謙恭仁厚，愈加欽敬，說道：「聖上知先鋒屢建奇功，特差下官到此監督，就齎賞賜金銀緞疋，車載前來給賞。」

宋江等拜謝道：「某等感安撫相公極力保奏，今日得受厚恩，皆出相公之賜。某等上受天子之恩，下感相公之德，宋江等雖肝腦塗地，不能補報。」

陳安撫道：「將軍早建大功，班師回京，天子必當重用。」

宋江再拜稱謝道：「請煩安撫相公鎮守昭德，小將分兵攻取田虎巢穴，教他首尾不能相顧。」

陳安撫道：「下官離京時，已奏過聖上，將近日先鋒所得州縣，現今缺的府縣官員，盡已下該部速行推補，勒限起程，不日便到。」

宋江一面將賞賜俵散軍將，一面寫下軍帖，差神行太保戴宗，往各府州縣鎮守頭領處傳令，俟新官一到，即行交代，勒兵前來聽調。到各府州傳令已了，再往汾陽探聽軍情回報。

宋江又將河北降將唐斌等功績申呈陳安撫，就薦舉金鼎、黃鉞鎮守壺關、抱犢，更替孫立、朱仝等將佐前來聽用。陳安撫一一依允。

忽有流星探馬報將來，說道：「田虎差馬靈統領將佐軍馬，往救汾陽，又差鄔梨國舅同瓊英郡主，統領將佐從東殺至襄垣了。」宋江聽罷，與吳用商議，分撥將佐迎敵。

當下降將喬道清說道：「馬靈素有妖術，亦會神行法，暗藏金磚打人，百發百中。小道蒙先鋒收錄，未曾出得氣力，願與吾師公孫一清同到汾陽，說他來降。」

宋江大喜，即撥軍馬二千，與公孫勝、喬道清帶領前去。二人辭別宋江，即日領軍馬起程，望汾陽去了，不題。

再說宋江傳令索超、徐寧、單廷珪、魏定國、湯隆、唐斌、耿恭統領軍馬二萬，攻取潞城縣。再令王英、扈三娘、孫新、顧大嫂領騎兵一千，先行哨探北軍虛實。

宋江辭了陳安撫，統領吳用、林沖、張清、魯智深、武松、李逵、鮑旭、樊瑞、項充、李衮、劉唐、解珍、解寶、凌振、裴宣、蕭讓、宋清、金大堅、安道全、蔣敬、郁保四、王定六、孟康、樂和、段景住、朱貴、皇甫端、侯健、蔡福、蔡慶及新降將孫安，共正偏將佐三十一員，軍馬三萬五千，離了昭德，望北進發。

前隊哨探將佐王英等，已到襄垣縣界、五陰山北，早遇北將葉清、盛本哨探到來。兩軍相撞，擂鼓搖旗。北將盛本，立馬當先，宋陣裡王英驟馬出陣，更不打話，拍馬撚槍，直搶盛本。

兩軍吶喊，盛本挺槍縱馬迎住。二將鬥敵十數合之上，扈三娘拍馬舞刀，來助丈夫廝殺。盛本敵二將不過，撥馬便走。扈三娘縱馬趕上，揮刀把盛本砍翻，撞下馬來。王英等驅兵掩殺，葉清不敢抵敵，領兵馬急退。宋兵追趕上來，殺死軍士五百餘人，其餘四散逃竄。

葉清只領得百餘騎，奔至襄垣城南二十里外。瓊英軍馬已到紮寨。

原來葉清於半年前被田虎調來，同主將徐威等鎮守襄垣。近日聽得瓊英領兵為先鋒，葉清稟過主將徐威，領本部軍馬哨探，欲乘機相見主女。徐威又令偏將盛本同去，卻好被扈三娘殺了，恰遇瓊英兵馬。當下葉清入寨，參見主女。見主女長大，雖是個女子，也覺威風凜凜，也像個將軍。

瓊英認得是葉清，叱退左右，對葉清道：「我今日雖離虎窟，手下只有五千人馬，父母之仇，如何得報？欲脫身逃遁，倘彼知覺，反罹其害。正在躊躇，卻得汝來。」

葉清道：「小人正在思想計策，卻無門路。倘有機會，即來報知。」說還未畢，忽報南軍將佐領兵追殺到來。

瓊英披掛上馬，領軍迎敵。兩軍相對，旗鼓相望，兩邊列成陣勢，北陣裡門旗開處，當先一騎銀騣馬上，坐著個少年美貌的女將。怎生模樣？但見：

金釵插鳳，掩映烏雲。鎧甲披銀，光欺瑞雪。
踏寶鐙鞋翹尖紅，提畫戟手舒嫩玉。
柳腰端跨，疊勝帶紫色飄搖；玉體輕盈，挑繡袍紅霞籠罩。
臉堆三月桃花，眉掃初春柳葉。
錦袋暗藏打將石，年方二八女將軍。

女將馬前旗號寫得分明：「平南先鋒將郡主瓊英」。

南陣軍將看罷，個個喝采。兩陣裡花腔鼉鼓喧天，雜綵繡旗閉日。「矮腳虎」王英看見是個美貌女子，驟馬出陣，挺槍飛搶瓊英，兩軍吶喊，那瓊英拍馬拈戟來戰。二將鬥到十數餘合，王矮虎拴不住意馬心猿，槍法都亂了。

瓊英想道：「這廝可惡！」覷個破綻，只一戟，刺中王英左腿。王英兩腳蹬空，頭盔倒罩，撞下馬來。

扈三娘看見傷了丈夫，大罵：「賊潑賤小淫婦兒，焉敢無禮！」飛馬搶出，來救王英。

瓊英挺戟，接住廝殺。王英在地掙扎不起，北軍擁上，來捉王英，那邊孫新、顧大嫂雙出，死救回陣。顧大嫂見扈三娘鬥瓊英不過，使雙刀拍馬上前助戰。

三個女將，六條臂膊，四把鋼刀，一枝畫戟，各在馬上相迎著，正如風飄玉屑，雪撒瓊花，兩陣軍士，看得眼也花了。三女將鬥到二十餘合，瓊英望空虛刺一戟，拖戟撥馬便走，扈三娘、顧大嫂一齊趕來。瓊英左手帶住畫戟，右手拈石子，將柳腰扭轉，星眼斜睃，覷定扈三娘只一石子飛來，正打中右手腕。

扈三娘負痛，早撇下一把刀來，撥馬便回本陣。顧大嫂見打中扈三娘，撇了瓊英，來救扈三娘，瓊英勒馬趕來。那邊孫新大怒，舞雙鞭，拍馬搶來，未及交鋒，早被瓊英飛起一石子，噹的一聲，正打中那熟銅獅子盔。孫新大驚，不敢上前，急回本陣，保護王英、扈三娘，領兵退去。

瓊英正欲驅兵追趕，猛聽得一聲炮響，此時是二月將終天氣，只見柳梢旗亂拂，花外馬頻嘶，山坡後衝出一彪軍來，卻是林沖、孫安及步軍頭領李逵等奉宋公明將令，領軍接應。兩軍相撞，擂鼓搖旗，兩陣裡迭聲吶喊。那邊豹子頭林沖，挺丈八蛇矛，立馬當先，這邊瓊矢鏃瓊英拈方天畫戟，縱馬上前。

林沖見是個女子，大喝道：「那潑賤，怎敢抗拒天兵！」瓊英更不打話，拈戟拍馬，直搶林沖。林沖挺矛來鬥。兩馬相交，軍器並舉。鬥無數合，瓊英遮攔不住，賣個破綻，虛刺一戟，撥馬望東便走。林沖縱馬追趕。

南陣前孫安看見是瓊英旗號，大叫：「林將軍不可追趕，恐有暗算。」林沖手段高強，哪裡肯聽，拍馬緊緊趕將來。那綠茸茸草地上，八個馬蹄翻盞撒鈸般，勃喇喇地風團兒也似般走。瓊英見林沖趕得至近，把左手虛提畫戟，右手便向繡袋中摸出石子，扭回身，覷定林沖面門較近，一石子飛來。林沖眼明手快，將矛柄撥過了石子。

瓊英見打不著，再撚第二個石子，手起處，真似流星掣電；石子來，嚇得鬼哭神驚，又望林沖打來。林沖急躲不迭，打在臉上，鮮血迸流，拖矛回陣。瓊英勒馬追趕。

孫安正待上前，只見本陣軍兵分開條路，中間飛出五百步軍，當先是李逵、魯智深、武松、解珍、解寶五員慣步戰的猛將。

李逵手搦板斧，直搶過來，大叫：「那婆娘不得無禮！」

瓊英見他來得凶猛，手拈石子望李逵打去，正中額角。李逵也吃了一驚，幸得皮老骨硬，只打得疼痛，卻是不曾破損。瓊英見打不倒李逵，跑馬入陣。李逵大怒，虎鬚倒豎，怪眼圓睜，大吼一聲，直撞入去。魯智深、武松、解珍、解寶恐李逵有失，一齊衝殺過來。

孫安哪裡阻擋得住？

瓊英見眾人趕來，又一石子，早把解珍打翻在地，解寶、魯智深、武松急來扶救。

這邊李逵只顧趕去，瓊英見他來得至近，忙飛一石子，又中李逵額角。兩次被傷，方才鮮血迸流。李逵終是個鐵漢，那綻黑臉上，帶著鮮紅的血，兀是火剌剌地，揮雙斧撞入陣中，把北軍亂砍。

那邊孫安見瓊英入陣，招兵衝殺過來，恰好鄔梨領著徐威等正偏將佐八員，統領大軍已到，兩邊混殺一場。那邊魯智深、武松救了解珍，翻身殺入北陣去了。解寶扶著哥哥，不便厮殺，被北軍趕上，撒起絆索，將解珍、解寶雙雙兒橫拖倒拽，捉入陣中去了。

步兵大敗奔回。卻得孫安奮勇鏖戰，只一劍，把北將唐顯砍下馬來。鄔梨被孫安手下軍卒放冷箭，射中脖項，鄔梨翻身落馬，徐威等死救上馬。

瓊英眾將見鄔梨中箭，急鳴金收兵。南面宋軍又到，當先馬上一將，卻是沒羽箭張清，在寨中聽流星報馬說，北陣裡有個飛石子的女將，把扈三娘等打傷。張清聽報驚異，稟過宋先鋒，急披掛上馬，領軍到此接應，要認那女先鋒。

那邊瓊英已是收兵，保護鄔梨，轉過長林，望襄垣去了。張清立馬惆望，有詩為證：

佳人回馬繡旗揚，士卒將軍個個忙。
引入長林人不見，百花叢裡隔紅妝。

當下孫安見解珍、解寶被擒，魯智深、武松、李逵三人殺入陣去，欲招兵追趕，天色又晚，只得同張清保護林沖，收兵回大寨。

宋江正在升帳，令神醫安道全看治王英。眾將上前看王英時，不止傷足，連頭面也磕破。安道全敷治已畢，又來療治林沖。宋江見說陷了解珍、解寶及李逵等三人，不知下落，十分憂悶。無移時，只見武行者同了李逵，殺得滿身血汙，入寨來見宋江。

武松訴說：「小弟見李逵殺得性起，只顧上前，兄弟幫他廝殺，殺條血路，衝透北軍，直至城下。只見北軍綁縛著解珍、解寶，欲進城去，被我二人殺死軍士，奪了解珍、解寶，被徐威等大軍趕來，復奪去解珍、解寶，我二人又殺開一條血路，空手到此。只不見魯智深。」

宋江聽說，滿眼垂淚，差人四下跟尋探聽魯智深蹤跡，又令安道全敷治李逵。此時已是黃昏時分，宋江計點軍士，損折三百餘名，當下緊閉寨柵，提鈴喝號，一宿無話。

次早，軍士回報，魯智深並無影響◈。宋江越添憂悶，再差樂和、段景住、朱貴、郁保四各領輕捷軍士，分四路尋覓。宋江欲領兵攻城，怎奈頭領都被打傷，只得按兵不動。城中緊閉城門，也不來廝殺。一連過了二日，只見郁保四獲得奸細一名，解進寨來。孫安看那個人，卻認得是北將總管葉清。

孫安對宋江道：「某聞此人素有義氣，他獨自出城，其中必有緣故。」宋江叫軍士放了綁縛，喚他上前。

葉清望宋江磕頭不已道：「某有機密事，乞元帥屏退左右，待葉某備細上陳。」

宋江道：「我這裡弟兄，通是一般腸肚，但說不妨。」

葉清方才說：「城中鄔梨，前日在陣上中了藥箭，毒發昏亂，城中醫人療治無效。葉某趁此，特借訪求醫人，出城探聽消息。」

宋江便問：「前日拿我二將，如何處置了？」

葉清道：「小人恐傷二位將軍，乘鄔梨昏亂，小人假傳將令，把二位將

◈影響——這裡是指蹤跡、消息。

軍權且監候，如今好好地在那裡。」葉清又把仇申夫婦被田虎殺害擄掠及瓊英的上項事，備細述了一遍。說罷，悲慟失聲。

宋江見說這段情由，頗覺悽慘。因見葉清是北將，恐有詐謀，正在疑慮，只見安道全上前對宋江道：「真個姻緣天湊，事非偶然！」他便一五一十的說道：「張將軍去冬，也夢甚麼秀士請他去教一個女子飛石，又對他說，是將軍宿世姻緣。張清覺來，癡想成疾。彼時蒙兄長著小弟同張清往高平療治他，小弟診治張清脈息，知道是七情所感，被小弟再三盤問，張將軍方肯說出病根，因是手到病痊。今日聽葉清這段話，卻不是與張將軍符合？」宋江聽罷，再問降將孫安。

孫安答道：「小將頗聞得瓊英不是鄔梨嫡女。孫某部下牙將楊芳，與鄔梨左右，相交最密，也知瓊英備細。葉清這段話，決無虛偽。」

葉清又道：「主女瓊英，素有報仇雪恥之志，小人見她在陣上連犯虎威，恐城破之日，玉石俱焚。今日小人冒萬死到此，懇求元帥。」

吳用聽罷，起身熟視葉清一回，便對宋江道：「看他色慘情真，誠義士也。天助兄長成功，天教孝女報仇！」

便向宋江附耳低言說道：「我兵雖分三路合剿，倘田虎結連金人，我兵兩路受敵。縱使金人不出，田虎計窮，必然降金，似此如何成得蕩平之功？小生正在策劃，欲得個內應。今天假其便，有張將軍這段姻緣，只除如此如此，田虎首級只在瓊英手中。李逵的夢，神人已有預兆，兄長豈不聞『要夷田虎族，須諧瓊矢鏃』這兩句麼？」

宋江省悟，點頭依允，即喚張清、安道全、葉清三人，密語受計。三人領計去了。

卻說襄垣守城將士，只見葉清回來，高叫：「快開城門！我乃鄔府偏將葉清，奉差尋訪醫人全靈、全羽到此。」守城軍士，隨即到幕府傳鼓通報。

須臾，傳出令箭，放開城門。葉清帶領全靈、全羽進城，到了國舅幕府前，裡面傳出令來，說喚醫人進來看治。葉清即同全靈進府。隨行軍中，伏侍的伴當人等，稟知郡主瓊英，引全靈到內裡參見瓊英已畢，直到鄔梨臥榻前，只見口內一絲兩氣。全靈先診了脈息，外使敷貼之藥，內用長托之劑。三日之間，漸漸皮膚紅白，飲食漸進。不過五日，瘡口雖然未完，飲食復舊。鄔梨大喜，教葉清喚醫人全靈入府參見。鄔梨對全靈說道：「賴足下神術療治，瘡口今漸平復。日後富貴，與汝同享。」

全靈拜謝道：「全某鄙術，何足道哉？全某有嫡弟全羽，久隨全某在江湖上學得一身武藝，現今隨全某在此，修治藥餌，求相公提拔。」鄔梨傳令，教全羽入府參見。鄔梨看見全羽一表非俗，心下頗是喜歡，令全羽在府外伺候聽用。

全靈、全羽拜謝出府。一連又過了四日，忽報宋江領兵攻城，葉清入府報知鄔梨，說宋江等兵強將勇，須是郡主，方可退敵。鄔梨聞報，隨即帶領瓊英入教場，整點兵馬。

只見全羽上演武廳稟道：「蒙恩相令小人伺候聽用，今聞兵馬臨城，小人不才，願領兵出城，教他片甲不回。」

當有總管葉清，假意大怒，對全羽道：「你敢出大言，敢與我比試武藝麼？」

全羽笑道：「我十八般武藝自小習學，今日正要與你比試。」

葉清來稟鄔梨，鄔梨依允，付與槍馬。二人各綽槍上馬，在演武廳前來往往，番番復復，攪做一團，扭做一塊。鞍上人鬥人，坐下馬鬥馬，鬥了四、五十合，不分勝負。

此時瓊英在旁侍立，看見全羽面貌，心下驚疑道：「卻像哪裡曾廝見過的，槍法與我一般。」

思想一回，猛然省悟道：「夢中教我飛石的，正是這個面龐，不知會飛石也不？」便拈戟驟馬近前，將畫戟隔開二人。

這裡瓊英恐葉清傷了全羽，卻不知葉清已是一路的人。瓊英挺戟，直搶全羽，全羽挺槍迎住，兩個又鬥過五十餘合。瓊英霍地回馬，望演武廳上便走，全羽就勢裡趕將來。

瓊英拈取石子，回身覷定全羽肋下空處，只一石子飛來。全羽早已瞧科，將右手一綽，輕輕地接在手中。瓊英見他接了石子，心下十分驚異，再取第二個石子飛來。全羽見瓊英手起，也將手中接的石子應手飛去。只聽得一聲響亮，正打中瓊英飛來的石子，兩個石子，打得雪片般落將下來。

那日城中將士徐威等，俱各分守四門，教場中只有牙將校尉，也有猜疑這個人是奸細，因見郡主瓊英是金枝玉葉，也和他比試，又是鄔梨部下親密將佐葉清引進來的，他們如何敢來啟齒？眼見得城池不濟事了，各人自思隨風轉舵。也是田虎合敗，天褫鄔梨之魄，使他昏暗。

當下喚全羽上廳，賜了衣甲馬匹，即令全羽領兵二千，出城迎敵。全羽拜謝，遵令出城，殺退宋兵，進城報捷。鄔梨大喜。當日賞勞全羽歇息，一宿無話。

次日，宋兵又到，鄔梨又令全羽領兵三千，出城迎敵。從辰至午，鏖戰多時，被全羽用石打得宋將亂竄奔逃。全羽招兵掩殺，直趕過五陰山，宋江等抵敵不住，退入昭德去了。全羽得勝回兵，進城報捷，鄔梨十分歡喜。

葉清道：「今日恩主有了此人及郡主瓊英，何患宋兵將猛，何患大事不成！」

葉清又說：「郡主前已有願，只除是一般會飛石的，方願匹配。今全將軍如此英雄，也不辱了郡主。」

當下被葉清再三攛掇，也是瓊英夫婦姻緣湊合，赤繩繫定◈，解拆不開的。鄔梨依允，擇吉於三月十六日，備辦各項禮儀筵宴，招贅張清為婿。

◈**赤繩繫定**—用以比喻男女間的姻緣天定。赤繩，紅線。

是日笙歌細樂，錦堆繡簇，筵席酒餚之盛，洞房花燭之美，是不必說。當下儐相贊禮，全羽與瓊英披紅掛錦，雙雙兒交拜神祇，後拜鄔梨假岳丈。鼓樂喧天，異香撲鼻，引入洞房，山盟海誓。

全羽在燈下看那瓊英時，與教場內又是不同。有詞《元和令》為證：

指頭嫩似蓮塘藕，腰肢弱比章臺柳。
凌波步處寸金流，桃腮映帶翠眉修。
今宵燈下一回首，總是玉天仙，涉降巫山岫。

當下全羽、瓊英如魚似水，似漆如膠，又不必說。

當夜全羽在枕上，方把真姓名說出：原來是宋軍中正將沒羽箭張清，這個醫士全靈，就是神醫安道全。瓊英也把向來冤苦，備細訴說。兩個唧唧噥噥的說了一夜。

挨了兩日，被他兩個裡應外合，鴆死鄔梨，密喚徐威入府議事，也將他殺了，其餘軍將皆降。張清、瓊英下令，城中有走透消息者，同伍中人並斬，本犯不論軍民，皆夷三族。因此水洩不通。又放出解珍、解寶，同張清、葉清分守四門。

安道全同葉清步下軍卒，出城到昭德，報知宋先鋒。吳用又令李逵、武松黑夜裡保護聖手書生蕭讓，到襄垣相見瓊英、張清，搜覓鄔梨筆跡，假寫鄔梨字樣，中文書札，令葉清齎領到威勝，報知田虎招贅郡馬之事，就於中相機行事。葉清齎領，辭別張清、瓊英，望威勝去了。

再說宋江在昭德城中，才差蕭讓、安道全去後，又報索超、徐寧等將攻克潞城，差人來報捷音說：「索超等領兵圍潞城，池方堅閉城門，不敢出來接戰。徐寧與眾將設計，令軍士裸形大罵，激怒城中軍士。城中人人欲戰，池方不能阻擋，開門出戰。北軍奮勇，四門殺出，我軍且戰且退，誘北軍四散離城。

「卻被唐斌從東路領軍突出，湯隆從西路引兵撞來。東西二門守城軍士閉門不迭，被湯隆、唐斌二將領兵殺入城中，奪了城池。徐寧搠翻了池方，其餘將佐，殺的殺了，走的走了，殺死北兵五千餘人，奪得戰馬三千餘匹，降服了萬餘軍士。索超等將入城，安撫百姓，特此先來報捷。其餘軍民戶口，庫藏金銀，另行造冊呈報。」

宋江聞報大喜，即令申呈陳安撫，並標錄索超等功次，賞賜來人。即寫軍帖，著他回報，待各路兵馬到來，一齊進兵。軍人望潞城回覆去了，不題。

卻說威勝田虎處偽省院官，見探馬絡繹來報說：「喬道清、孫安都已降服。」又報：「昭德、潞城已破。」省院官即日奏知田虎。

田虎大驚，與眾多將佐正在計議，忽報襄垣守城偏將葉清齎領國舅書札到來。田虎即命宣進。只因這葉清進來，有分教：威勝城中，削平哨聚強徒；武鄉縣裡，活捉謀王反賊。

畢竟田虎看了鄔梨申文，怎麼回答？且聽下回分解。

第九九回
花和尚解脫緣纏井
混江龍水灌太原城

話說田虎接得葉清中文，拆開付與近侍識字的：「讀與寡人聽。」

書中說：「臣鄔梨招贅全羽為婿。此人十分驍勇，殺退宋兵，宋江等退守昭德府。臣鄔梨即日再令臣女郡主瓊英，同全羽領兵恢復昭德城。謹遣總管葉清報捷，並以婚配事奏聞，乞大王恕臣擅配之罪。」

田虎聽罷，減了七分憂色，隨即傳令，封全羽為中興平南先鋒郡馬之職，仍令葉清同兩個偽指揮使，賫領令旨及花紅、錦緞、銀兩，到襄垣縣封賞郡馬。葉清拜辭田虎，同兩個偽指揮使望襄垣進發，不題。

卻說前日神行太保戴宗，奉宋公明將令，往各府州縣，傳遍軍帖已畢，投汾陽府盧俊義處探聽去了。其各府州縣新官，陸續已到。各路守城將佐，隨即交與新官治理，諸將統領軍馬，次第都到昭德府。

第一隊是衛州守將關勝、呼延灼，同壺關守將孫立、朱仝、燕順、馬麟，抱犢山守將文仲容、崔野軍馬到來，入城參見陳安撫、宋江已畢，說：「水軍頭領李俊探聽得潞城已克，即同張橫、張順、阮小二、阮小五、阮小七、童威、童猛，統駕水軍船隻，自衛河出黃河、由黃河到潞城縣東潞水，聚集聽調。」

當下宋江置酒敘闊。次日，令關勝、呼延灼、文仲容、崔野領兵馬到潞城，傳令：「水軍頭領李俊等，協同汝等及索超等人馬，進兵攻取榆社、大谷等縣，抄出威勝州賊巢之後，不得疏虞！」恐賊計窮，投降金人。關勝等遵令去了。

次後，陵川縣守城將士李應、柴進，高平縣守城將士史進、穆弘，蓋州守城將士花榮、董平、杜興、施恩，各各交代與新官，領軍馬到來，參見已畢，稱說花榮等將在蓋州鎮守，北將山士奇從壺關戰敗，領了敗殘軍士，糾合浮山縣軍馬來寇蓋州，被花榮等兩路伏兵齊發，活擒山士奇，殺死二千餘人，山士奇遂降。其餘軍將，四散逃竄。

當下花榮等引山士奇另參宋先鋒，宋江令置酒接風相敘。宋江等軍馬，只在昭德城中屯住，佯示懼怕張清、瓊英之意，以堅田虎之心，不在話下。

且說盧俊義等已克汾陽府，田豹敗走到孝義縣，恰遇馬靈兵到。那馬靈是涿州人，素有妖術。腳踏風火二輪，日行千里，因此人稱他做「神駒子」。又有金磚法，打人最是利害，凡上陣時，額上又現出一隻妖眼，因此人又稱他做「小華光」，術在喬道清之下。

他手下有偏將二員，乃是武能、徐瑾，那二將都學了馬靈的妖術。當下馬靈與田豹合兵一處，統領武能、徐瑾、索賢、黨世隆、凌光、段仁、苗成、陳宣並三萬雄兵，到汾陽城北十里外紮寨。南軍將佐，連日與馬靈等交戰不利，盧俊義引兵退入汾陽城中，不敢與他廝殺，只愁北軍來攻城池。

正在納悶，忽有守東門軍士飛報將來，說宋先鋒特差公孫勝、喬道清，領兵馬二千，前來助戰。盧俊義忙教開門請進。相見已畢，盧俊義揖公孫勝上坐，喬道清次之，置酒管待。

盧俊義訴說：「馬靈術法利害，被他打傷了雷橫、鄭天壽、楊雄、石秀、焦挺、鄒淵、鄒潤、龔旺、丁得孫、石勇數員將佐。盧某正在束手無策，卻得二位先生到此。」

喬道清說道：「小道與吾師為此稟過宋先鋒，特到此拿他。」說還未畢，只見守城軍飛報將來，說馬靈領兵殺奔東門來，武能、徐瑾領兵殺至西門，田豹同索賢、黨世隆、凌光、段仁領兵殺奔北門來。

公孫勝聽報，說道：「貧道出東門敵馬靈，喬賢弟出西門擒武能、徐瑾，盧先鋒領兵出北門，迎敵田豹。」

盧俊義又教黃信、楊志、歐鵬、鄧飛四將統領兵馬，助一清先生。當下戴宗聞馬靈會神行，也要同公孫勝出去，盧俊義依允。再令陳達、楊春、李忠、周通領兵馬助喬先生。盧俊義同秦明、宣贊、郝思文、韓滔、彭玘領兵出北門，迎敵田豹。當日汾陽城外，東西北三面，旗幡蔽日，金鼓振天，同時廝殺。

不說盧俊義、喬道清兩路廝殺，且說神駒子馬靈領兵搖旗擂鼓，辱罵搦戰。只見城門開處，放下吊橋，南軍將佐擁出城來，將軍馬一字兒排開，如長蛇之陣。馬靈縱馬挺戟大喝道：「你們這夥鳥敗漢，可速還俺們的城池！若稍延挨，教你片甲不留！」

歐鵬、鄧飛兩馬並出，大喝道：「你的死期到了！」歐鵬拈鐵槍，鄧飛舞鐵鏈，二人拍馬直搶馬靈，馬靈挺戟來迎。三將鬥到十合之上，馬靈手取金磚，正欲望歐鵬打來，此時公孫勝已是驟馬上前，仗劍作法。

那時馬靈手起，這邊公孫勝把劍一指，猛可地霹靂也似一聲響亮，只見紅光罩滿，公孫勝滿劍都是火焰，馬靈金磚墮地，就地一滾，即時消滅。公孫勝真個法術通靈，轉眼間，南陣將士、軍卒、器械，渾身都是火焰，把一個長蛇陣變得火龍相似。

馬靈金磚法，被公孫勝神火剋了。公孫勝把麈尾招動，軍馬首尾合殺攏來，北軍大敗虧輸，殺得星落雲散，七斷八續，軍士三停內折了二停。馬靈戰敗逃生，幸得會使神行法，腳踏風火二輪，望東飛去。

南陣裡神行太保戴宗，已是拴縛停當甲馬，也作起神行法，手挺朴刀，趕將上去。頃刻間，馬靈已去了二十餘里，戴宗只行得十六、七里，看看望不見馬靈了。前面馬靈正在飛行，卻撞著一個胖大和尚，劈面搶來，把馬靈一禪杖打翻，順手牽羊，早把馬靈擒住。

那和尚正在盤問馬靈，戴宗早已趕到，只見和尚擒住馬靈。戴宗上前看那和尚時，卻是花和尚魯智深。

戴宗驚問道：「吾師如何到這裡？」

魯智深道：「這裡是甚麼所在？」

戴宗道：「此處是汾陽府城東郭。這個是北將馬靈，適才被公孫一清在陣上破了妖法，小弟追趕上來。那廝行得快，卻被吾師擒住，真個從天而降！」

魯智深笑道：「洒家雖不是天上下來，也在地上出來。」當下二人縛了馬靈，三人腳踏實地，逕望汾陽府來。

戴宗再問魯智深來歷，魯智深一頭走，一頭說道：「前日田虎，差一個烏婆娘到襄垣城外廝殺。她也會飛石子，便將許多頭領打傷，洒家在陣上殺入去，正要拿那鳥婆娘，不提防茂草叢中，藏著一穴。

「洒家雙腳落空，只一跤攧下穴去，半晌方到穴底，幸得不曾跌傷。洒家看穴中時，旁邊又有一穴，透出亮光來。洒家走進去觀看，卻是奇怪，一般有天有月，亦有村莊房舍。其中人民，也是在那裡忙忙地營幹，見了洒家，都只是笑。洒家也不去問，也只顧搶入去。

「過了人煙湊集的所在，前面靜悄悄的曠野，無人居住。洒家行了多時，只見一個草庵，聽得庵中木魚咯咯地響。洒家走進去看時，與洒家一般的一個和尚，盤膝坐地念經。

「洒家問他的出路，那和尚答道：『來從來處來，去從去處去。』

「洒家不省那兩句話，焦躁起來。那和尚笑道：『你知道這個所在麼？』

「洒家道：『哪裡知道恁般鳥所在！』

「那和尚又笑道：『上至非非想，下至無間地，三千大千，世界廣遠，人莫能知。』

「又道：『凡人皆有心，有心必有念；地獄天堂，皆生千念。是故三界惟心，萬法惟識，一念不生，則六道俱銷，輪迴斯絕。』洒家聽他這段話說得明白，望那和尚唱了個大喏。

「那和尚大笑道：『你一入緣纏井，難出欲迷天，我指示你的去路。』

「那和尚便領洒家出庵，才走得三五步，便對洒家說道：『從此分手，日後再會。』

「用手向前指道：『你前去可得神駒。』洒家回頭，不見了那和尚，眼前忽的一亮，又是一般景界，卻遇著這個人。洒家見他走得蹊蹺，被洒家一禪杖打翻，卻不知為何已到這裡。此處節氣，又與昭德府那邊不同。桃李只有恁般大葉，卻無半朵花蕊。」

戴宗笑道：「如今已是三月下旬，桃李多落盡了。」

魯智深不肯信，爭嚷道：「如今正是二月下旬！適才落井，只停得一回兒，卻怎麼便是三月下旬？」戴宗聽說，十分驚異。二人押著馬靈，一逕來到汾陽城。

此時公孫勝已是殺退北軍，收兵入城。盧俊義、秦明、宣贊、郝思文、韓滔、彭玘殺了索賢、黨世隆、凌光三將，直追田豹、段仁至十里外，殺散北軍。田豹同段仁、陳宣、苗成，領敗殘兵，望北去了。盧俊義收兵回城，又遇喬道清破了武能、徐瑾，同陳達、楊春、李忠、周通，領兵追趕到來。被南軍兩路合殺，北兵大敗，死者甚眾。武能被楊春一大刀，砍下馬來，徐瑾被郝思文刺死，奪獲馬匹、衣甲、金鼓、鞍轡無數。盧俊義與喬道清合兵一處，奏凱進城。盧俊義剛到府治，只見魯智深、戴宗將馬靈解來。

盧俊義大喜，忙問：「魯智深為何到此？宋哥哥與鄔梨那廝廝殺，勝敗如何？」

魯智深再將前面墮井及宋江與鄔梨交戰的事，細述一遍，盧俊義以下諸將，驚訝不已。當下盧俊義親釋馬靈之縛。馬靈在路上已聽了魯智深這段話，又見盧俊義如此義氣，拜伏願降。盧俊義賞勞三軍將士。次日，晉寧府守城將佐，已有新官交代，都到汾陽聽用。盧俊義教戴宗、馬靈往宋先鋒處報捷，即日與副軍師朱武計議征進，不題。

且說馬靈傳授戴宗日行千里之法，二人一日便到宋先鋒軍前，入寨參見，備細報捷。宋江聽了魯智深這段話，驚訝喜悅，親自到陳安撫處，參見報捷，不在話下。再說田豹同段仁、陳宣、苗成統領敗殘軍卒，急急如喪家之狗，忙忙似漏網之魚，到威勝見田虎，哭訴那喪師失地之事。

又有偽樞密院官，急入內啟奏道：「大王，兩日流星報馬，將羽書雪片也似報來，說統軍大將馬靈已被擒拿；關勝、呼延灼兵馬，已圍榆社縣；盧俊義等兵馬，已破介休縣城池。獨有襄垣縣鄔國舅處，屢有捷音，宋兵不敢正視。」

田虎聞報大驚，手足無措。文武多官計議，欲北降金人。當有偽右丞相太師卞祥，叱退多官，啟奏道：「宋兵縱有三路，我這威勝，萬山環列，糧草足支二年，御林衛駕等精兵二十餘萬。東有武鄉，西有沁源二縣，各有精兵五萬。後有太原縣、祈縣、臨縣、大谷縣，城池堅固，糧草充足，尚可戰守。古語有云：『寧為雞口，無為牛後』。」

田虎躊躇未答，又報總管葉清到來。田虎即令召進，葉清拜舞畢，稱說：「郡主、郡馬屢次斬獲，兵威大振，兵馬直抵昭德府。正要圍城，因鄔國舅偶患風寒，不能管攝兵馬。乞大王添差良將精兵，協助郡主、郡馬，恢復昭德府。」

當有偽都督范權啟奏道：「臣聞郡主、郡馬甚是驍勇，宋兵不敢正視。若得大王御駕親征，又有雄兵猛將助他，必成中興大功。臣願助太子監國。」田虎准奏。

原來范權之女，有傾國之姿，范權獻與田虎，田虎十分寵幸，因此范權說的無有不從。今日范權受了葉清重賂，又見宋兵勢大，他便乘機賣國。

當下田虎撥付卞祥將佐十員，精兵三萬，前往迎敵盧俊義等兵馬。又令偽太尉房學度，也統領將佐十員，精兵三萬，往榆社迎敵關勝等兵馬。

田虎親自統領偽尚書李天錫、鄭之瑞，樞密薛時、林昕，都督胡英、唐顯及殿帥、御林護駕教頭、團練使、指揮使、將軍、校尉等眾，挑選精兵十萬，擇日祭旗興師，殺牛宰馬，犒賞三軍。再傳令旨，教兄弟田豹、田彪同都督范權等，及文武多官，輔太子田定監國。

葉清得了這個消息，密差心腹，星夜馳至襄垣城中，報知張清、瓊英。張清令解珍、解寶將繩索懸掛出城，星夜往報宋先鋒知會去了。

卻說卞祥伺候兵符，挑選軍馬，盤桓了三日，方才統領樊玉明、魚得源、傅祥、顧愷、寇琛、管琰、馮翊、呂振、吉文炳、安士隆等偏牙各項將佐，軍馬三萬，出了威勝州東門。

軍分兩隊，前隊是樊玉明、魚得源、馮翊、顧愷，領兵馬五千。剛到沁源縣，地名綿山，山坡下一座大林，前軍卻好抹過林子，只聽得一棒鑼聲響處，林子背後山坡腳邊，撞出一彪軍來。卻是宋公明得了張清消息，密差花榮、董平、林沖、史進、杜興、穆弘領精勇騎兵五千，人披軟戰，馬摘鸞鈴，星夜疾馳到此。

軍中一將驟馬當先，兩手搦兩桿鋼槍。此將乃是宋軍中第一個慣衝頭陣的雙槍將董平，大喝道：「來的是哪裡兵馬？不早早受縛，更待何時？」

樊玉明大罵：「水洼草寇，何故侵奪俺這裡城池？」

董平大怒，喝道：「天兵到此，兀是抗拒！」

拍馬挺雙槍，直搶樊玉明，那邊樊玉明縱馬拈槍來迎。二將鬥到二十餘合，樊玉明力怯，遮架不住，被董平一槍刺中咽喉，翻身落馬。那邊馮翊大怒，挺條渾鐵槍，飛馬直搶董平；這邊小李廣花榮，驟馬接住廝殺。

二將鬥到十合之上，花榮撥馬，望本陣便走。馮翊縱馬趕來，卻被花榮帶住花槍，拈弓搭箭，扯得那弓滿滿的，扭轉身軀，覷定馮翊較親，只一箭，正中馮翊面門，頭盔倒卓，兩腳蹬空，撲通地撞下馬來。花榮撥轉馬，再一槍，結果了性命。董平、林冲、史進、穆弘、杜興招動兵馬，一齊捲殺過來。

顧愷早被林冲搠翻，魚得源墮馬，被人馬踐踏身死。北兵大敗虧輸，五千軍馬，殺死大半，其餘四散逃竄。花榮等兵士奪了金鼓馬匹，追殺北兵，至五里外，卻遇卞祥大兵到來。

那卞祥是莊家出身，他兩條臂膊有水牛般氣力，武藝精熟，乃是賊中上將。當下兩軍相對，旗鼓相望，兩陣裡畫角齊鳴，鼉鼓迭擂。北將卞祥立馬當先，頭頂鳳翅金盔，身掛魚鱗銀甲，九尺長短身材，三牙掩口髭鬚，面方肩闊，眉竪眼圓，跨匹衝波戰馬，提把開山大斧。左右兩邊，排著傅祥、管琰、寇琛、呂振四個偽統制官，後面又有偽統軍、提轄、兵馬防禦、團練等官，參隨在後。

隊伍軍馬，十分擺布得整齊。南陣裡九紋龍史進驟馬出陣，大喝：「來將何人？快下馬受縛，免汙刀斧！」

卞祥呵呵大笑道：「瓶兒罐兒，也有兩個耳朵。你須曾聞得我卞祥的名字麼？」

史進喝道：「助逆匹夫，天兵到此，兀是抗拒！」

拍馬舞三尖兩刃八環刀，直搶卞祥。卞祥也掄大斧來迎。二馬相交，兩器並舉，刀斧縱橫，馬蹄撩亂，鬥到三十餘合，不分勝敗。這邊花榮愛卞祥武藝高強，卻不肯放冷箭，只拍馬挺槍，上前助戰。卞祥力敵二將，又鬥了三十餘合，不分勝敗。北陣中將士，恐卞祥有失，急鳴金收兵。花榮、董平見天色已晚，又寡不敵眾，也不追趕，亦收兵向南，兩軍自去十餘里紮寨。

是夜南風大作，濃雲潑墨，夜半，大雨震雷。此時田虎統領眾多官員、將佐、軍馬，已離了威勝城池百餘里，天晚紮寨。

帳中自有隨行軍中內侍姬妾，及范美人在帳中歡宴。是夜也遇了大雨。

自此霖雨一連五日不止，上面張蓋的天雨蓋都漏，下面又是水淥淥的；軍士不好炊爨立腳，角弓軟，箭翎脫，各營軍馬，都在營中兀守，不在話下。

且說索超、徐寧、單廷珪、魏定國、湯隆、唐斌、耿恭等將，接得關勝、呼延灼、文仲容、崔野陸兵，及水軍頭領李俊等水軍船隻。眾將計議，留單廷珪、魏定國鎮守潞城，關勝等將佐水陸並進，船騎同行，打破榆社縣，再留索超、湯隆，鎮守城池。

關勝等眾乘勝長驅，勢如破竹，又克了大谷縣，殺了守城將佐，其餘牙將軍兵，降者無算。關勝安撫軍民，賞勞將士，差人到宋先鋒處報捷。次日，關勝等同時也遇了大雨，在城屯紮，不能前進。

忽報：「盧先鋒留下宣贊、郝思文、呂方、郭盛管領兵馬，鎮守汾陽府。盧俊義等已克了介休、平遙兩縣，再留韓滔、彭玘鎮守介休縣，孔明、孔亮鎮守平遙縣，盧先鋒統領眾多將佐軍馬，現圍太原縣城池，也因雨阻，不能攻打。」

恰好水軍頭領李俊在城，聽了此報，忙對關勝說道：「盧先鋒等今遇天雨連綿，流水大至，使三軍不得稽留，倘賊人選死士◆出城衝擊，奈何！小弟有一計，欲到盧先鋒處商議。」關勝依允。

當下混江龍李俊，即刻辭了關勝出城，教童威、童猛統管水軍船隻，自己同了二張、三阮，帶領水軍二千，戴笠披簑，冒雨衝風，間道疾馳到盧俊義軍前，入寨參見。不及寒溫◆，即與盧俊義密語片晌。盧俊義大喜，隨即傳令軍士，冒雨砍木作筏，李俊等分頭行事去了，不題。

且說太原城中守城將士張雄，偽授殿帥之職，項忠、徐岳偽授都統制之職，這三個人是賊中最好殺的。手下軍卒，個個凶殘淫暴。城中百姓，受暴虐不過，棄了家產，四散逃亡，十停中已去了七八停。

張雄等今被大兵圍困，負固不服◆。張雄與項忠、徐岳計議，目今天雨，宋兵欲掠無所，水地不利，薪芻◆既寡，軍無稽留之心，急出擊之，必獲全勝。此時是四月上旬，張雄正欲分兵出四門，衝擊宋兵，忽聽得四面鑼聲振響。

張雄忙上敵樓望城外時，只見宋軍冒雨穿屐，俱登高阜山岡。張雄正在驚疑，又聽得智伯渠邊，及東西三處，喊聲振天，如千軍萬馬狂奔馳驟之聲。霎時間，洪波怒濤飛至，卻如秋中八月潮洶湧，天上黃河水瀉傾。真個是：

功過智伯城三板，計勝淮陰沙幾囊。

畢竟不知這水勢如何底止？且聽下回分解。

◈**死士**—敢死的人。　**寒溫**—見面時彼此問候生活起居，或泛談氣候寒暖等的應酬話。
負固不服—憑恃險阻，不肯服罪。　**薪芻**—薪柴和牧草。

第一〇〇回

張清瓊英雙建功
陳瓘宋江同奏捷

話說太原縣城池，被混江龍李俊，乘大雨後水勢暴漲，同二張、三阮統領水軍，約定時刻，分頭決引智伯渠及晉水，灌浸太原城池。頃刻間，水勢洶湧。但見：

驟然飛急水，忽地起洪波。軍卒乘木筏沖來，將士駕天潢飛至。神號鬼哭，昏昏日色無光；嶽撼山崩，浩浩波聲若怒。城垣盡倒，窩鋪皆休。旗幟隨波，不見青紅交雜兵戈。汩浪難排，霜雪爭叉。僵屍如魚鱉沉浮，熱血與波濤並沸。須臾樹木連根起，頃刻榱題貼水飛。

當時城中鼎沸，軍民將士見水突至，都是水淥淥的爬牆上屋，攀木抱梁，老弱肥胖的，只好上臺上桌。轉眼間，連桌凳也浮起來，房屋傾圮，都做了水中魚鱉。城外李俊、二張、三阮乘著飛江天浮，逼近城來，恰與城垣高下相等。

軍士攀緣上城，各執利刃，砍殺守城士卒。又有軍士乘木筏沖來，城垣被沖，無不傾倒。張雄正在城樓上叫苦不迭，被張橫、張順從飛江上城，手執朴刀，喊一聲，搶上樓來，一連砍翻了十餘個軍卒，眾人亂竄逃生。張雄躲避不迭，被張橫一朴刀砍翻，張順趕上前，卡察的一刀，剁下頭來。比及水勢四散退去，城內軍民，沉溺的，壓殺的，已是無數。梁柱門扇、窗欞什物、屍骸順流壅塞南城。

城中只有避暑宮乃是北齊神武帝所建，基址高固，當下附近軍民，一齊搶上去，挨擠踐踏，死的也有二千餘人。連那高阜及城垣上，一總所存軍民，僅千餘人。城外百姓，卻得盧先鋒密喚里保，傳諭居民，預先擺布，

◆**天潢**──天河。　**榱題**──屋椽的兩端之處。榱音摧。

鑼聲一響，即時都上高阜。況城外四散空闊，水勢去得快，因此城外百姓，不致湮沒。

當下混江龍李俊領水軍，據了西門；船火兒張橫，同浪裡白條張順，奪了北門；立地太歲阮小二、短命二郎阮小五，占了東門；活閻羅阮小七，奪了南門。四門俱豎起宋軍旗號。

至晚水退，現出平地，李俊等大開城門，請盧先鋒等軍馬入城。城中雞犬不聞，屍骸山積。雖是張雄等惡貫滿盈，李俊這條計策，也忒慘毒了。那千餘人，四散地跪在泥水地上，插燭也似磕頭乞命。盧俊義查點這夥人中，只有十數個軍卒，其餘都是百姓。

項忠、徐岳爬在帥府後傍屋的大檜樹上，見水退，溜將下來，被南軍獲住，解到盧先鋒處。盧俊義教斬首示眾。給發本縣府庫中銀兩，賑濟城內外被水百姓，差人往宋先鋒處報捷。一面令軍士埋葬屍骸，修築城垣房居，召民居住。

不說盧俊義在太原縣撫綏料理，再說太原未破時，田虎統領十萬大軍，因雨在銅鞮山南屯紮，探馬報來，鄔國舅病亡，郡主、郡馬即退軍到襄垣，殯殮國舅。

田虎大驚，差人在襄垣城中傳旨，著瓊英在城中鎮守，著全羽前來聽用，並問為何差往襄垣人役都不來回奏。次日雨霽，平明時分，流星探馬飛報將來，說宋江差孫安、馬靈，領兵前來拒敵。

田虎聽報，大怒道：「孫安、馬靈，都受我高官厚祿，今日反叛，情理難容。待寡人親自去問他！卿等努力，如有擒得二人者，千金賞，萬戶侯。」

當下田虎親自驅兵向前，與宋兵相對。北軍觀看宋軍旗號，原來是病尉遲孫立、鐵笛仙馬麟。北陣前金瓜密布，鐵斧齊排，劍戟成行，旗幡作隊。那九曲飛龍赭黃傘下，玉轡金鞍、銀鬃白馬上，坐著那個草頭大王◆田虎，出到陣前，親自監戰。

◆草頭大王——指強盜首領。

南陣後，宋江統領吳用、孫新、顧大嫂、王英、扈三娘、孫立、朱仝、燕順兵馬又到，宋江也親自督戰。

田虎聞說是宋江，方欲遣將出陣，擒捉宋江，只聽得飛馬報道：「關勝等連破榆社、大谷兩個城池。西路盧俊義軍馬又打破平遙、介休兩縣，被他引水灌了太原城池，城中兵將，不留一個。右丞相卞祥紮寨綿山，與花榮等相持，被盧俊義從太原領兵，後面殺來。卞丞相當不得兩面夾攻，大敗虧輸，被盧俊義活捉過陣去。盧俊義同關勝合兵一處，將沁源縣圍得鐵桶相似。」

田虎聽罷，大驚無措，忙傳令旨，便教收軍，退保威勝城內。

當下李天錫等押住陣腳，薛時、林昕、胡英、唐顯保護田虎先行。只聽得銅鞮山北炮聲振響，被宋江密教魯智深、劉唐、鮑旭、項充、李衮統領精勇步兵，抄出銅鞮山北，分兩路殺奔前來。

田虎急驅御林軍馬來戰，忽被馬靈、孫安領兵馬從東劃斜裡殺來。馬靈腳踏風火二輪，將金磚望北軍亂打，孫安揮雙劍砍殺。二將領兵，突入北陣，如入無人之境，把北軍衝做兩截。

北軍雖有十萬之眾，被吳用籌劃這三路兵馬，橫衝直撞，縱橫亂殺，北軍大敗，殺得星落雲散，七斷八續。當下偽尚書李天錫等保護田虎，望東衝殺逃奔，卻被魯智深等領著標槍、團牌、飛刀手，衝開血路，殺奔前來；又把李天錫、鄭之瑞、薛時、林昕等軍馬，衝散奔西。

田虎手下雖是御林軍馬，挑選那最精勇的，他們自來與官軍鬥敵，從未曾見有恁般凶猛的，今日如何抵擋得住。

當下田虎左右，只有都督胡英、唐顯、總管葉清及金吾、校尉等將，領著五千敗殘軍馬，擁護奔逃。正在危急，忽地又有一彪軍馬，從東突至。田虎見了，仰天大嘆道：「天喪我也！」

北軍看那彪軍馬中，當先一個俊龐年少將軍，頭戴青巾幘，身穿綠戰袍，手執梨花槍，坐匹高頭雪白捲毛馬，旗號上寫得分明，乃是「中興平南先鋒郡馬全羽」。那時葉清緊隨田虎，看了旗號，奏知田虎。田虎傳旨，快教郡馬救駕。

那全郡馬近前，下馬跪奏道：「臣啟大王：甲冑在身，不能俯伏，臣該萬死。」

田虎道：「赦卿無罪。」

全郡馬又奏道：「事在危急，奉請大王到襄垣城中，權避敵鋒。待臣同郡主殺退宋兵，再請大王到威勝大內，計議良策，恢復基業。」

田虎大喜。傳下令旨，即望襄垣進發。全郡馬在後面，抵擋追趕的兵將。田虎等眾，已到襄垣城下，背後喊殺連天，追趕將來。襄垣城上守城將士看見，連忙開城門，放吊橋。胡英引兵在前，軍士聽見後面趕來，一擁搶進城去，也顧不得甚麼大王。

胡英剛進得城門，猛聽得一聲梆子響，兩邊伏兵齊發，將胡英及三千餘人，都趕入陷坑中去，被軍士把長槍亂搠，可憐三千餘人，不留半個。城中大叫：「田虎要活的！」

田虎見城中變起，方知是計，急勒馬望北奔走。

張清、葉清拍馬趕來，田虎那匹好馬行得快，張清、葉清領軍士追趕不上，已離了一箭之地。只見田虎馬前，忽地起陣旋風，風中現出一個女子，大叫道：「奸賊田虎！我仇家夫婦，都被汝害了，今日走到哪裡去？」就女子身旁，又起一陣陰風，望田虎劈面滾來，那女子寂然不見。

田虎坐下馬忽然驚躍嘶鳴，田虎落馬墮地，被張清、葉清趕上，跳下馬來，同軍士一擁上前擒住。唐顯領眾挺槍驟馬來救。張清見唐顯搶來，疾忙上馬，拈一石子飛來，正中唐顯面門，撞下馬去。

張清大叫道：「我不是甚麼全羽，乃是天朝宋先鋒部下沒羽箭張清。」那時李逵、武松領五百步兵，從城內搶出來，二人大吼一聲，把那殿帥將軍、金吾、校尉等二千餘人，殺得星落雲散。張清刺殺了唐顯，縛了田虎，簇擁入城，閉了城門，待宋先鋒殺退北兵，方可解去。

魯智深追趕到來，見田虎已捉入城去。魯智深等復向西殺到銅鞮山側。

此時已是酉牌時分。宋江等三路軍馬與北兵鏖戰一日，殺死軍士二萬餘人。北軍無主，四面八方，亂竄逃生。范美人及姬妾等項，都被亂兵所殺。李天錫、鄭之瑞、薛時、林昕領三萬餘人，上銅鞮山據住。宋江領兵四面圍困。魯智深來報，田虎已被張清擒捉。

宋江以手加額，忙傳將令，差軍星夜疾馳到襄垣，教武松等堅閉城門，看守田虎。教張清領兵速到威勝，策應瓊英等。

原來瓊英已奉吳軍師密計，同解珍、解寶、樂和、段景住、王定六、郁保四、蔡福、蔡慶帶領五千軍馬，盡著北軍旗號，伏於武鄉縣城外石盤山側。瓊英等探知田虎與我兵廝殺，瓊英領眾人星夜疾馳到威勝城下。是日天晚，已是暮霞斂彩，新月垂鈎，瓊英在城下鶯聲嬌囀叫道：「我乃郡主，保護大王到此，快開城門！」當下守城軍卒，飛報王宮內裡。

田豹、田彪聞報，上馬疾馳到南城，忙上城樓觀看，果見赭黃傘下，那匹雕鞍銀鬉白馬上，坐著大王，馬前一個女將，旗上大書「郡主瓊英」，後面有尚書都督等官，遠遠跟隨。

只見瓊英高聲叫道：「胡都督等與宋兵戰敗，我特保護大王到此。教官員速出城接駕！」田豹等見是田虎，即令開了城門，出城迎接。

二人才到馬前，只聽馬上的大王大喝道：「武士與寡人拿下二賊！」軍士一擁上前，將二人擒住。田豹、田彪大叫：「我二人無罪！」急要掙扎時，已被軍士將繩索綁縛了。

原來這個田虎，乃是吳用教孫安揀擇南軍中與田虎一般面貌的一個軍卒，依著田虎妝束；後面尚書、都督，卻是解珍、解寶等數人假扮的。當下眾人各掣出兵器，王定六、郁保四、蔡福、蔡慶領五百餘人，將田豹、田彪連夜解往襄垣去了。城上見捉了田豹、田彪，又見將二人押解向南，情知有詐，急出城來搶時，卻被瓊英要殺田定，不顧性命，同解珍、解寶一擁搶入城來。

守門將士上前來鬥敵，被瓊英飛石子打去，一連傷了六七個人，解珍、解寶幫助瓊英廝殺。城外樂和、段景住急教軍士卸下北軍打扮，個個是南軍號衣，一齊搶入城來，奪了南門。樂和、段景住挺朴刀，領軍上城，殺散軍士，豎起宋軍旗號。

城中一時鼎沸起來，尚有許多偽文武官員，及王親國戚等眾，急引兵來廝殺。瓊英這五千餘人，深入巢穴，如何抵敵？卻得張清領八千餘人到來，驅兵入城，見瓊英、解珍、解寶與北兵正在鏖戰，張清上前飛石，連打四員北將，殺退北軍。

張清對瓊英道：「不該深入重地，又且眾寡不敵！」

瓊英道：「欲報父仇，雖粉骨碎身，亦所不辭！」

張清道：「田虎已被我擒捉在裹垣了。」瓊英方才喜歡。

正欲引兵出城，也是天厭賊眾之惡，又得盧俊義打破沁源城池，統領大兵到來，見了南門旗號，急驅兵馬入城，與張清合兵一處，趕殺北軍。秦明、楊志、杜遷、宋萬，領兵奪了東門；歐鵬、鄧飛、雷橫、楊林奪了西門；黃信、陳達、楊春、周通，領兵奪了北門；楊雄、石秀、焦挺、穆春、鄭天壽、鄒淵、鄒潤領步兵，大刀闊斧，從王宮前面砍殺入去；龔旺、丁得孫、李立、石勇、陶宗旺，領步兵，從後宰門砍殺入去，殺死王宮內院嬪妃、姬妾、內侍人等無算。

田定聞變，自刎身死。張清、瓊英、張青、孫二娘、唐斌、文仲容、崔野、耿恭、曹正、薛永、李忠、朱富、時遷、白勝，分頭去殺偽尚書、偽殿帥、偽樞密以下等眾，及偽封的王親國戚等賊徒，正是：

金階殿下人頭滾，玉砌朝門熱血噴。
莫道不分玉與石，為慶為殃心自捫。

當下宋兵在威勝城中，殺得屍橫市井，血滿溝渠。盧俊義傳令，不得殺害百姓。連忙差人先往宋先鋒處報捷。當夜宋兵直鬧至五更方息，軍將降者甚多。

天明，盧俊義計點將佐，除神機軍師朱武在沁源城中鎮守外，其餘將佐，都無傷損。只有降將耿恭，被人馬踐踏身死。

眾將都來獻功。焦挺將田定死屍馱來，瓊英咬牙切齒，拔佩刀割了首級，把他屍骸支解。此時鄔梨老婆倪氏已死，瓊英尋了葉清妻子安氏，辭別盧俊義，同張清到襄垣，將田虎等押解到宋先鋒處。

盧俊義正在料理軍務，忽有探馬報來，說北將房學度將索超、湯隆圍困在榆社縣，盧俊義即教關勝、秦明、雷橫、陳達、楊春、楊林、周通，領兵去解救索超等。

次日，宋江已破李天錫等於銅鞮山，一面差人申報陳安撫說：「賊巢已破，賊首已擒，請安撫到威勝城中料理。」

宋江統領大兵，已到威勝城外，盧俊義等迎接入城。宋江出榜，安撫百姓。盧俊義將卞祥解來。宋江見卞祥狀貌魁偉，親釋其縛，以禮相待。卞祥見宋江如此義氣，感激歸降。

次日，張清、瓊英、葉清將田虎、田豹、田彪囚載陷車，解送到來。瓊英同了張清，雙雙的拜見伯伯宋先鋒，瓊英拜謝王英等昔日冒犯之罪。宋江叫將田虎等監在一邊，待大軍班師，一同解送東京獻俘。即教置酒，與張清、瓊英慶賀。

當日有威勝屬縣武鄉守城將士方順等，將軍民戶口、冊籍、倉庫錢糧，前來獻納。宋江賞勞畢，仍令方順依舊鎮守。宋江在威勝城一連過了兩日，探馬報到，說關勝等到榆社縣，同索超、湯隆內外夾攻，殺了北將房學度。北軍死者五千餘人，其餘軍士都降。

宋江大喜，對眾將道：「都賴眾兄弟之力，得成平寇之功。」即細細標寫眾將功勞，及張清、瓊英擒賊首、搗賊巢的大功。

又過了三四日，關勝兵馬方到，又報陳安撫兵馬也到了。宋江統領將佐，出郭迎接入城，參見已畢，陳安撫稱讚道：「將軍等五月之內，成不世之功。下官一聞擒捉賊首，先將表文差人馬上馳往京師奏凱，朝廷必當重封官爵。」宋江再拜稱謝。次日，瓊英來稟，欲往太原石室山，尋覓母親屍骸埋葬，宋江即命張清、葉清同去，不題。

宋江稟過陳安撫，將田虎宮殿院宇，珠軒翠屋，盡行燒毀。又與陳安撫計議，發倉廩賑濟各處遭兵被火居民。修書申呈宿太尉，寫表申奏朝廷，差戴宗即日起行。戴宗擎齎表文書札，趕上陳安撫差的齎奏官，一同入進東京，先到宿太尉府前，依先尋了楊虞候，將書呈遞。

宿太尉大喜。明日早朝，並陳安撫表文，一同上達天聽。道君皇帝龍顏喜悅，敕宋江等料理候代，班師回京，封官受爵。戴宗得了這個消息，即日拜辭宿太尉，離了東京，明日未牌時分，便到威勝城中，報知陳安撫、宋先鋒。陳瓘、宋江一面教把生擒到賊徒偽官等眾，除留田虎、田豹、田彪，另行解赴東京，其餘從賊，都就威勝市曹斬首施行。

所有未收去處，乃是晉寧所屬蒲、解等州縣。賊役贓官，得知田虎已被擒獲，一半逃散，一半自行投首。陳安撫盡皆准首，復為良民。就行出榜去各處招撫，以安百姓。其餘隨從賊徒，不傷人者，亦准其自首投降，復為鄉民，給還產業田園。克復州縣已了，各調守禦官軍，護境安民，不在話下。

再說道君皇帝已降詔敕，差官齎領到河北諭陳瓘等。次日，臨幸武學，百官先集，蔡京於坐上談兵，眾皆拱聽。內中卻有一官，仰著面孔，看視屋角，不去睬他。蔡京大怒，連忙查問那官員姓名。正是一人向隅，滿坐不樂。只因蔡京查這個官員姓名，直教：天罡地煞臨軫翼◈，猛將雄兵定楚郢。

畢竟蔡京查問那官員是誰？且聽下回分解。

◈**軫翼**——二十八宿中的翼宿和軫宿。古為楚之分野。軫音診。

國家圖書館出版品預行編目(CIP)資料

水滸傳/孫家琦編輯. — 第一版.
— 新北市 : 人人, 2017.02
冊 ; 公分. —(人人文庫)
ISBN 978-986-461-084-6(卷5:平裝)
ISBN 978-986-461-086-0(全套:平裝)
857.46 105024588

【人人文庫】

水滸傳

卷5

第八一回至第一〇〇回

題字・篆刻/羅時僖
書系編輯/孫家琦
書籍裝幀/楊美智
發行人/周元白
出版者/人人出版股份有限公司
地址/23145新北市新店區寶橋路235巷6弄6號7樓
電話/(02)2918-3366(代表號)
傳真/(02)2914-0000
網址/www.jjp.com.tw
郵政劃撥帳號/16402311人人出版股份有限公司
製版印刷/長城製版印刷股份有限公司
電話/(02)2918-3366(代表號)
經銷商/聯合發行股份有限公司
電話/(02)2917-8022
第一版第一刷/2017年2月
定價/新台幣250元

※本書內頁紙張採敦榮紙業進口日本王子58g文庫紙